# 장만영 전집 1권

시편 1

# 장만영 전집 1권

## 시편 1

장만영 전집 간행위원회 편

국학자료원

■ 장만영 시인의 교복 입은 모습

■ 1934년 도쿄(東京) 미사키(三山嵜) 영어학교 고등과정을 듣던 시절 교복 · 교모를 쓴 장만영 시인

■ 1933년 가을 졸업 후 서재에 앉아 있는 장만영 시인

■ 장만영의 청년시절

■ 장만영 시인이 50년대 이후 타계할때까지 살았던 서울 서대문구 평동 55번지 2호의 집은 고려병원에 흡수되어 자취없이 사라졌다. 지금은 음식점과 술집으로 가득찬 거리로 번성했다(사진에 보이는 터가 그의 집이었다)

■ 1931년 교정에서의 장만영 시인(사진 가운데 왼쪽에 앉아 있는 이)

■ 1931년 10월 21일 저녁 무렵 경성제2고보 정문 앞에서 기념 촬영한 장만영 시인(사진 왼쪽)

■ 그의 부친이 주주의 한사람이었던 배천호텔에서 선전용으로 썼던 엽서에 담긴 30년대의 배천읍전경 (이곳은 계절을 가리지 않고 온천을 찾아오는 사람들로 번성했으나 38선이 굳어지자 40년대 말께엔 황폐화했다)

■ 장만영 시인(오른쪽)과 신석정 시인(왼쪽)

## 『초애 장만영 전집』 발간에 즈음하여

초애 장만영 선생이 서거하신 지 어느덧 30년이 지났다. 향년 62세도 아쉬움이었지만, 그 후 세월에서도 다시금 덧없음을 느끼게 된다.

돌아가시기 2년 전의 시집 『저녁놀 스러지듯이』를 대했을 때의 무엇인가 허전하였던 마음이 어제의 일처럼 돌이켜 생각이 들기도 한다.

길손이 말없이 떠나려 하고 있다
한 권의 조이스 시집과
한 자루의 외국제 노란 연필과
때 묻은 몇 권의 노우트와
무수한 담배꽁초와
덧없는 마음을 그대로
낡은 다락방에 남겨 놓고
저녁놀 스러지듯이
길손이 말없이 떠나려 하고 있다

저때, 시집에서 「길손」은 시행을 짚어 가며, 갑자기 신약해지신 것이 아닌가, 불길한 예감이 앞서기도 하였었다.

선생은 서울 서대문구 평동 55번지의 골목 안 자그마한 집에 사셨다. 때로 찾아뵈면, 언제나 저 작은 미닫이 창문을 열고 반기셨고, 너그러운 음성으로 당신의 근황보다도 이 켠 주변의 안부부터 묻곤 하셨다. 당신의 평동 생활은 저 시집 속의 「게蟹」와 「네모진 창가에 앉아」에 그대로 여실히 드러나 있다.

이 놈은
가끔 외롭다고 집게질을 한다
이 놈은
가끔 바보처럼 운다

―「게 · Ⅳ」

네모진 창가에 앉아
놀 비낀 서쪽 하늘을 바라보며
「몽마르트르의 일몰」을, 반 · 고흐를
그의 고국 네덜란드를 나는 생각한다

―「네모진 창가에 앉아 · 끝 연」

저 1970년대 초반의 어려운 세상을 평동의 골목 안 좁은 공간에서 외로이 칩거하다시피 한 삶이셨다. 오늘에 이 시를 되짚어 보기가 안쓰럽고 죄스럽기만 하다.

1974년 3월에 주신 편지 한 통에 생각이 미친다.

> 홍이섭 추도시를 쓰다가 문득 '전라도 생각'이 나서 이 붓을 들었소. 버스로 세 시간 밖에 안 걸리는 그 곳이 오늘은 왜 이리 멀게만 생각되오. 그 동안 내가 병원(고려병원)에 들어가 보름 동안 고생하다가 31일 퇴원해서 이런지도 모르겠소. 아무에게도 안 알리고 찾아 주는 벗 하나 없는 쓸쓸한 생활을 하다가 나왔소. 죄 없는 아내만 얼굴이 해쓱해 갖고 곁에 의자에 앉아 밤새우고 하는 꼴 정말 가슴 아팠소. 아내의 정성 탓인지 이렇게 나와 편지도 쓰고 시도 쓰고 하니 정말 살아난 것 같소. 이제 그만 쓰겠소. 약간 피로해서. 안녕히 계시오.

'홍이섭'은 선생과 동갑으로 1974년 3월에 작고하셨다. '전라도 생각'이란 저때 병상의 동서 신석정 선생을 두고 하신 말씀이었다. 당신의 입원을 전주의 동서에게도 알리지 않으셨던 것이다. '죄 없는 아내'는 신석정 선생의 처제 '박영규 여사'를 일컬음이다.

여기에 사신私信을 공개한다는 것이 외람된 일이나, 저 무렵 선생의 일상 심경을 다 헤아리지 못했다는 뉘우침과, 다른 한 편 『저녁놀 스러지듯이』에 대한 일반 독자의 이해에 혹 도움이 되지 않을까 하는 생각이 앞섰기 때문이다.

가까이에서 봐온 선생은 언제나 낙천적이셨다. 황해도 배천온천의 부유한 가정에서 부유한 삶을 누리셨음에도, 광복 후 실향민으로서의 고단한 서울 생활에 어떠한 짜증도 아픔도 밖으로 나타내는 일이 없으셨다. 또한 선생은 문단의 화제에서도 문학인에 대한 험담을 하시는 일이 없었다. "시인은 시인이 아껴야 한다"는 게 선생의 평소 말씀이셨다.

한국신시학회 주최로 선생의 10주기를 추모하는 '문학의 밤' 행사가 열린 바 있었다. 저때 조병화 시인은 추모시 「맑은 물처럼, 흙처럼」으로 선생의 삶과 시를 되새겨 주신 바 있다.

한국의 중부 서정을
밝은 언어의 결로
황토색 짙게
시를 깎으며 평생을 살아오신
62세

세월은
팔랑개비
시단을 던져 버리고
평동 골목에 묻혀
알맞게 사시다 알맞은 세월, 알맞게 떠나시는 모습
당신의 어진 시 같습니다

이 추모시로부터 20년 세월이 흘렀다. 이제 선생은 저승 세계의 어느 자연을 누리며 다시 만난 생전의 문우들과 어떤 시, 어떤 담소를 나누고 계실까. 선생이 이승에 남기신 시의 위상은 우리의 시문학사에 한 자리매김이 되어 있을 뿐 아니라, 앞으로도 계속 시문학도들에 의하여 논의될 것이다.

한 가지, 선생께서 한 평생 시를 쓰시며 시를 어떻게 생각하시었나 하는 것만은 다시 한 번 들어 두고 싶다. 선생은 서거 10년 전, 한국시인협회에서 엮어 낸 "나의 시 나의 시론"에 당신의 시에 대한 생각을 명료히 들어 말하신 바 있다.

> 시의 감동과 여운은 '애수적인 미'에 있다.
> 시의 목적은 '자기 만족'(쾌감) 외에 다른 공리성을 가질 수 없다.
> 시에는 '나'가 있고, 나의 '시'가 있을 뿐이다.
> 시에 '쾌감' 외의 '의미 부여'나 '현실 대결'을 요구하는 것은 마땅한 일이 못 된다.
> 시를 쓸 땐 쉬운 말, 소박한 말, 한글만으로 명료한 표현을 하고 싶다.

감히 위 다섯 가지로 요약해 볼 수 있지 않을까. 선생의 시론은 무엇보다도 선생이 남기신 시 작품과 시에 대한 감상, 해설의 글이 실증하고 있다. 시에 대한 선생의 생각이 오늘에도 어떠한 의의가 있고, 앞날의 우리 시에 어떠한 생명력으로 이바지될 것인가는 오직 시학도의 연구에 맡겨진 일이라 할 수밖에 없다. 이번 『초애 장만영 전집』의 간행 의의도 이 점에 있다.

끝으로, 유족으로서는 그동안 마음만 동동거렸을 뿐 힘이 미치지 못했던 일을 외솔회 총무이사 박대희 선생께서 추진하여 오늘의 아름다운 간행을 이루게 되었다. 어찌 유족뿐이겠는가. 우리 시문학의 앞날을 위해서도 다 같이 고마워해야 할 일이 아닐 수 없다.

2014년 12월 12일 탄생 100주기를 맞아

『장만영전집』 간행위원회 위원장 최승범

# 장만영 전집 1권(시편 1) 차례

# 장만영 전집 1 차례

## 제1시집 『양羊』

### 제1부 _ 양羊



### 제2부_ 달 · 포도 · 잎사귀



### 제3부 _ 풍 경風景



### 제4부 _ 유년송幼心抄

## 제2시집 『축제祝祭』

### 제1부



### 제2부



### 제3부



### 제4부



## 제3시집 『유년송幼年頌』

### 제1부 _ 어머니에게

## 제4시집 『밤의 서정抒情』

### 제1부 _ 이 향 사離鄕詞



### 제2부 _ 순아에의 연가戀歌



### 제3부 _ 산협석모山峽夕暮

## 제4부 _ 천향시초泉鄕詩抄



## 제5부 _ 별의 전설傳說



## 제6부 _ 일 기 초日記抄



## 제7부 _ 물 방 울(동시초童詩抄)

## 제5시집 『저녁 종소리』

### 제1부 _ 저녁 종소리



## 제6시집 『장만영 선시집選詩集』

### 제1부 _ 三十年代

## 제2부 _ 四十年代



## 제3부 _ 五十年代

# 장만영 전집 2　차례

## 제7시집 『놀따라 등불따라』

### 제1부 _ 놀따라 등불따라



### 제2부 _ 푸른 골짜기

## 제8시집 『저녁놀 스러지듯이』

### 제1부 _ 저녁놀 스러지듯이

## 제2부 _ 등불따라 놀따라抄



# 마지막 시집 『창작 노트에 담긴 시詩들』

## 제1부 _ 창작 노트에 담긴 시詩들

■ 미발표 시들

# 장만영 전집 3  차례

## 『현대시現代詩의 이해理解와 감상鑑賞』

### 제1부 _ 봄 · 춘春



### 제2부 _ 여름 · 하夏

## 제3부 _ 가을 · 추秋



## 제4부 _ 겨울 · 동冬



# 『이 정 표里程標』

## 제1부 _ 동 자 상童子象



## 제2부 _ 소년화첩少年畵帖

## 제3부 _ 아름다운 계절季節



## 제4부 _ 회색灰色 노트



## 제5부 _ 별의 전설傳說



## 제6부 _ 촛불 아래서

## 『그리운 날에』

### 제1부 _ 여수旅愁



### 제2부 _ 등불 따라 노을 따라

## 제3부 _ 시詩의 주변



## 제4부 _ 그리운 사람들

## 미발표 산문

# 장만영 전집 4 차례

## 『1958~1961년 일기문』

『1961~1968년 일기문』

## 『1969년 일기문』



## 『새벽 종으로부터 저녁 종까지(1898년)』

## 『러시아 염소담艶笑談』



## 『프랑스 설화집說話集』

■ 일러두기

1. 시(詩) 작품의 표기는 원문을 최대한 살리되 시어의 어감을 해치지 않는 범위 내에서 맞춤법에 따라 고쳤다.
2. 한글 표기를 원칙으로 하되, 한자를 쓸 경우에는 한글을 한 급수 작은 글씨로 병기하였다.
   단, 시(詩) 제목의 한자는 그대로 두었다.
3. 외래어 표기법에 맞게 고쳤다.
   단, 어감이 현저히 달라질 경우에는 그 당시의 표기대로 그대로 살렸다.

張 萬 榮

第一詩集

# 『양羊』

珊瑚莊・刊

1937년

# 제1부

# 양羊

※『양羊』 초판은 1937년에 발행됐으며, 광복 후 1974년에 光一文化社에서 영인본을 간행하였는데, 저자는 다시 개정판을 낼 생각으로 노트에 수정된 원고를 적어 놓았다. 이에 이번 전집에서는 수정된 원고를 싣기로 하여 초판과는 조금 다름을 밝힌다.

## 봄들기 전前

그 어느 먼 바다를 건너 온 비는
이윽고 봄이 온다는 반가운 소식을 전하고
오늘 아침 저 언덕을 넘어 떠났습니다
호반의 목장으로 목자를 찾아간다면서…….

어머니 햇볕 포근히 쪼이는 산비탈 저 푸른 목장에
젊은 목자의 양 몰며 다니는 한가한 각적角笛소리가
우리의 귀를 즐겁게 할 때도 멀지 않겠지요.

오늘은 경박한 고 조고만 새새끼들도
먼 길을 찾아오는 손님을 영접한다고
푸른 하늘 아득히 떠서 파닥거립니다.

어머니 봄이 탄 푸른 수레가 오는 것은
들 건너 아지랑이 자욱한 언덕이라지요?
그렇기에 나는 오늘도 먼 언덕을 바라보고 있습니다.

## 바람과 구름

어머니 언니가 양들을 데리고 나간 지는 벌써 여러 달이 되지 않습니까?
그런데 언니는 왜 돌아오지 않을까요?
나는 오늘도 저 은행나무 아래로 나아가
언니를 기다리는 일과를 잊지 않겠습니다.

어머니 석양이 되어 언니가 양들을 몰고
저 산기슭을 돌아 휘파람을 불며 올 때가 되었건만
언니는 영영 오지 않고
구름만 뭉게뭉게 산을 넘어옵디다.

어머니
어디서 어린 뻐꾹새 소리가 들려옵니다.
만일 언니가 뻐꾹새가 되었다면
숲에서 오죽이나 외로워하겠습니까?

애기야 저 파아란 하늘을 바라보아라!
맑은 하늘에 나붓나붓 떼져 다니는
하아얀 구름이 보이지 않니?

너의 언니는 하늘에 사는 바람이 되고
떼지어 다니는 하아얀 구름은
언니가 사랑하던 양들이란다.

오늘도 너의 언니는 고요한 하늘의 푸른 길로
양들을 몰고 다니는구나.
나직이 떠나갈 때는 휘파람 소리도 들리지 않겠니?

## 양羊

어린 양은 오늘도 머언 산을 바라보고 있습니다.
찬란한 푸른 옷을 산뜻이 갈아입은 산마루 끝에는
파아란 하늘을 밟고 가는 흰 구름이 있습니다.

어린 양은 오늘도 아득한 새소리에 귀를 기울이고 있습니다.
새들이 타고 날아가는 포근한 바람 속에는
새들의 지저귀는 즐거운 노래가 있습니다.

어린 양은 오늘도 떠 가는 흰 구름을 보고
자기 엄마가 산을 넘어오지 않나 의심합니다.

어린양은 오늘도 새소리를 들으며
저를 부르던 엄마의 목소리를 그리워합니다.

# 돌아오지 않는 두견이

어머니
두견이는 어디로 갔을까요?
여름날 저 머언 숲 짙은 그늘에 있던
푸른 요람을 그대로 두고
두견이는 지금 어디로 갔을까요?

어머니
가을이 또 말없이 찾아와
푸른 요람에는 빠알갛게 단풍이 듭니다
붉은 놀 곱게 비낀 하늘이 멀고
해가 져도 두견이는 아니옵니다.

어머니
오늘도 한종일 두견이를 찾았으나
영 넘는 나무꾼의 노래만 구슬프고
두견이는 영영 아니 뵙니다,
이윽고 겨울도 저 산을 넘어온다는데…….

# 가을 아침 풍경風景

어젯밤 낙엽을 밟고 조심히 가던
가을비의 가벼운 발자국 흔적이 없고
태양은 벌써 들 건너 나직한 언덕에 올라와
백금처럼 빛나는 흰 날개를 하늘에 펴고
찬란한 웃음으로 우리들을 부릅니다.

어머니
저 파아란 유리처럼 맑은 하늘은
얼마나 침정沈靜한 얼굴입니까?
이 아침에 머언 해안의 따뜻한 바위에는
흰 물새들의 햇볕을 즐기는 작은 모임이 있겠습니다.

어머니 훌륭한 아침이 아닙니까?
우리도 어서 저 고요한 숲으로 나아가
우리들의 앞에 끝없이 펴지는
훌륭한 저 풍경들을 구경하지 않으렵니까?

# 무 지 개

깊은 하늘의 푸른 빛 맑고
흰 물새 그림자 바다에 머얼다.

햇볕이 살포시 나를 껴안고……
나는 해변 모래를 껴안고……

그 시절의 어린 꿈 무지개 되어
단풍잎 타는 섬에 아득하고나!

## 달 밤

촛불이 사르르 꺼진 뒤
선뜻! 밀려드는 달빛에 방안이 푸르러……

서리찬 밤하늘 기러기 소리 아득하고
오동잎새 고요히 뜰을 거닌다

한동안 잊었던 거문고 줄을 골라
푸른 달밤 멀리 띄워 보낼까.

## 봄을 그리는 마음

눈 녹는 소리 뚜욱 뚝 들려오는 이 아침
매화꽃 책상 위에 더욱 청초하구나!

이렇게 연사흘만 날이 풀리면
눈쌓인 산골에도 물소리 들리려니

이윽고 아지랑이 자욱한 언덕을 넘어
봄이 찬란한 녹색 수레를 타고 오면

푸른 연기 피는 들에 가축이 오고 가고
성에 풀린 먼 바다엔 뱃노래 들리려니

오늘 아침 내마음 물새가 되어
봄하늘을 멀리 생각하며 퍼덕인다.

## 별 I

찬란한 별밭을 그대로 두고
초승달이 홀로 머언 숲을 넘어갑니다

고요히 흘러가는 은하수 물 가에는
별들의 그림자가 어리었습니다

저기 또 작은 별이 하나
어디론지 먼 길을 떠나갑니다

내일은 저 별이 그 어느 나라에 도착하여
떠나온 머언 조국을 오죽이나 그리워하겠습니까?

오늘밤은 나도 저 높은 하늘 아래로 내려가
별들의 하늘 아득한 옛이야기를 들으렵니다

# 별 II

하늘의 끝없는 대리석 층층계를
영아처럼 어린 별들이 기어오른다

바람도 숨고 버레도 울지 않는
밤은 이제 호저湖底처럼 고요하다

한밤에 홀로 뜰을 거니는 것은
하늘을 명상하는 나의 외론 일과이어니

마음아! 너는 산새처럼 포르르 날아서
아득한 밤하늘의 하나 작은 별이 되려므나!

## 풀밭 위에 잠들고 싶어라

머언 재를 넘어가는 초승달 빛이
아직 이슬 내린 풀밭 위에 머물고 있지 않니?

포근한 공기는 끝없이 흐르는데
꽃향기 더욱더 향기로워라

수풀 속 푸른 궁전에 노래하는 두견이는
여름마다 찾아오는 나의 정다운 동무.

오늘은 그의 부르는 노래를 들으며
이 풀밭 위에 고요히 잠들고 싶어라!

# 아직도 거문고 소리가 들리지 않습니까?

— 푸른 호수에 이는 파문이 거문고 줄이라면 바람은 늙은 반주자이다 —

밤이 깊어 당신이 저 호반으로 나가실 때
당신은 푸른 물결을 타고 흘러 나오는
고요한 노래를 들으시겠습니다

아득한 하늘엔 별들의 웃음이 피고
갈대숲 거쳐 늙은 산의 얼굴이 머얼 때
이는 외로운 나그네, 바람이 켜는 거문고 소리여니……

온종일 푸른 하늘을 찾아다니던 고 귀여운 물새들도
지금은 물가에 잠들어 고요한데
호반에선 아직도 거문고 소리가 들리지 않습니까?

# 아 침

참새새끼 지저귀며 아침은 고요하다
이슬 내린 뜰을 거닐면 풀향기 코를 찌르고
마음, 물과 같이 맑다
아직도 구름은 산을 넘어오지 않커니,
산에는 크게 걸린 푸른 하늘뿐—
두 팔을 두루미처럼 벌리면 희열喜悅의 나래를 펴고
마음, 하늘로 올라간다

제2부

# 달 · 포도 · 잎사귀

## 비

순이, 뒷산에 두견이 노래하는 사월달이면
비는 새파아란 잔디를 밟으며 온다

비는 눈이 수정처럼 맑다
비는 하아얀 진주 목걸이를 자랑한다

비는 수양버들 그늘에서
한종일 은색 레이스를 짜고 있다

비는 대낮에도 나를 키스한다
비는 입술이 함씬 딸기물에 젖었다

비는 고요한 노래를 불러
벗꽃 향기 풍기는 황혼을 데려온다

비는 어디서 자는지를 말하지 않는다
순이, 우리가 촛불을 밝히고 마주 앉을 때

비는 밤 깊도록 창 밖에서 종알거리다가
이윽고 아침이면 어디론지 가 버린다

# 달

–죽은 누나는 하늘에 사는 달이 되었습니다–

누나야 너는 어디로 가니?
찬란한 청치마를 발길에 끌고
밤하늘을 고요히 거니는 너는
그 옛날–
네가 시집 가던 그 날처럼 고웁구나!

누나야 은하를 건너 저 푸른 들에서는
갈피리 소리 그윽히 들려온다
어둠을 타고 간간이 내려가는 꼬리별은
또한 누구의 장난이니?

오빠 나는 그이를 맞으러 갑니다
아직도 부르는 그이의 갈피리 소리가
아직도 저렇게 들려오지 않습니까?
이제 그이는 은하숫가 저 수양버들 아래에서
나를 섭섭히 기다리고 계시겠습니다

오빠 하늘을 이별하고 떠나는 꼬리별들은
바다를 찾아가 진주가 된다 이르지 않습니까?

당신은 인어가 되어 바다 깊이 산호숲을 찾어가서요
거기 진주들이 우리의 이야기를 전할 것이어니—

# 달 · 포도 · 잎사귀

순이 버레 우는 고풍古風한 뜰에
달빛이 밀물처럼 밀려 왔구나

달은 나의 뜰에 고요히 앉아 있다
달은 과일보다 향그럽다

동해 바다 물처럼
푸른
가을
밤

포도는 달빛이 스며 고웁다
포도는 달빛을 머금고 익는다

순이 포도 넝쿨 밑에 어린 잎새들이
달빛에 호젓하구나

## Moon, Grapes and Young Leaves

Soonee,
in my old fashioned antique yard,
where insects are chirping,
Moonlight has tided into.

Moon sits still,
Sweeter than fruits.

Like waters of the East Sea
Blue
Night,
Fall

Grapes are fair of moonshine
Grapes are ripe of moonshine

Soonee,
Those young leaves under grape-vines
look lonely,
For the moon lights.

* Translated into English by Won, Young Hee
(SungKyunKwan University)
번역: 원영희(시인)

## 조 개

해당화 잎사귀에 바람이 스며들고
바다종달새
물결 사이사이로 숨바꼭질하는
봄하늘, 그리고
오후

고요한 해안에는
따뜻한 햇살 쪼이는 조개가 하나.
바다가 잊은 지 오랜 조개가 또 하나.

한나절 조개는 바닷소리만 듣고 사노니
그는 나의 초라한 이 마음.

이제는 아름다운 꿈도 잃어버리고
고동은 입을 벌린 채 희어졌구나!

## 호 수湖水 I

겨울이 씌운 호수의 베일을 벗긴 이가 누구뇨? 호수의 푸른 얼굴 푸른 웃음이 찬란하고 다시 좋은 기후의 계절이 왔다. 호수는 손짓하여 갈매기를 부르고 바람과 구름과 산과…… 그리고 순이, 너와 나를 부르는구나!

순이, 아빠가 사온 세일러복을 입고 나오너라. 백합처럼 하이얀 너의 고 조그만 똑딱선을 들고 어서 우리들의 유원지 호수로 가자. 가서 저 옥같이 맑고 푸른 물 위에 띄워 고 오리새끼놈들을 추격하자. 그리고 우리는 용감한 자태를 호반에 앉아 손벽 치며 칭찬하자.

순이 호수 건너 과수원의 배꽃이 얼마나 좋으냐? 나는 밀크같이 그윽한 배꽃을, 배꽃같이 노오블한 소녀, 순이 너를 사랑한다.

## 호 수湖水 II

더듬더듬 갈대밭 지나 호수에 나가니
프랑스 기폭처럼 곱게 펴진 저녁하늘.

호수엔 배도 없고 물새도 없고
찰삭찰삭 모래 씻는 물소리 고요하다.

외로운 마음, 갈대잎 꺾어 불며 돌아가노니
밤이 별들을 데리고 물 위로 조용히 건너온다.

제3부

# 풍 경風景

# 새 벽

새벽이 아득한 수평선을 넘어 찾어옵니다

바다의 물결은 해안의 검은 바위에 입을 맞추며
어젯밤 이야기를 웃으며 쏘곤거립니다
기선은 화려한 출항出航을 기다리고 있습니다

시방 태양은 지구의 붉은 입술에 이별의 키스를 하고
오늘 하루의 먼 길을 떠났습니다
손수건을 흔들며 그를 전송하는 갈매기—

나는 문을 박차고 밖으로 뛰어나왔습니다
찬란한 광선 속에 나부끼는 나의 침의寢衣—
이윽고 나의 입술로부터 나오는 명랑한 휘파람이
비린 바다 공기를 헤치고 끝없이 날아갑니다

(오오 위대한 새벽이여!)
어느듯 나의 입술은 새벽의 가슴을 헤치고 들어가
그의 젖꼭지를 물고 레몬과 같이 신선한 그의 젖을 목메게
빱니다……

## 바 다

I

바다여 너는
너의 검은 머리칼을 허어옇게 만든것이 해안의 바위라고
애꿎은 그 벙어리 같은 바위만 물고 뜯지만……
그것은 바위가 아니라 실없는 가을바람이었다

II

“그만 저리 가오, 제발!
당신의 억센 포옹에 숨이 막힐 것 같습니다”
물결은 웃으며 달아났다
—나의 입술엔 아직도 그 마담의 촉감이 사라지지 않고 짜다

III

오늘은 바다의 제일祭日인가 보오
그렇길래 갈매기는 하늘로 올라가 제 노래를 자랑하고
물결은 섬을 쌓고돌며 탱고를 추지요
하늘엔 놀의 만국기가 아름답게 나부끼고……

## 항구港口 석양夕景

항구港口의
저녁……
청객자인 갈매기들은 바다 멀리 나아가
아지못할 먼 나라로부터 오는 고귀한 에트랑제異邦人 배들을 맞아들이오

저녁해의 여광餘光에 범선帆船의 붉은 야회복이 황금처럼 찬란히 빛나오
항구港口「호텔」의 장명등―등대의 불이
푸른 물결 위에 반듯! 깜읏! 반듯! 깜읏!

이슥고 낯설은 객실에 행장을 풀고
배들은 먼 여로旅路에 시달린 몸을 펴고 눕소
그러나 지금 그들의 가슴엔 멜론의 향기 같은 여수가 안개같이 자욱이 내리오

기선은 캄캄한 밤하늘을 치어다 보며
담배만 푸욱 푹 빨고 있소……

## 풍 경風景

I

포플라 그늘에서 참새새끼들의 소리가 희롱을 하오
언덕 멀리 에메랄드 같이 맑게 퍼진 새벽의 푸른 얼굴—
"마님 태양은 오렌지보다 향기롭습니다그려!"

II

비둘기장 같이 하아얀 요양원—
오늘도 그 여자는 남쪽 창문을 열고서 먼 바다를 바라보고 있소
"마님 봄이 그 여자의 마음을 딱따구리처럼 쪼아먹었다지요?"

III

송림이 분수처럼 파아란 햇빛을 뿜으오
송림 아래 외로이 비낀 여울의 초승달—
"마님 어서 저 시냇가로 조약돌을 주으러 가십시다!"

## 아침 창窓에서

참새새끼들의 쟁비나무 수풀에서 즐거이 지저귄다
나는 창문을 열어젖히려 녹색 커튼을 젖혔다

아침 햇볕이 눈부시게 찬란하고
바람이 꽃향기를 함씬 몰고 달려들어 함부로 나를 키스한다

어젯밤 나의 베갯머리를 지키던 꿈들은
꿀벌들처럼 자꾸 유리창을 넘어간다

참새새끼들의 쟁비나무 수풀에서 즐거이 지저귀고
산마루에 구름은 머언 출항을 기다리는 배들처럼 머물고 있다

# 새로 3시時

정밀靜謐이 고양이처럼 사랑스러이 잠자고 있는 깊은 밤—
책상 위 푸른 목장에 피어난 한 떨기 양귀비꽃—탁상전등이 붉고 고아라!

(옛날에…… 옛날에……)

꿈속에서 꿈을 꾸는 것처럼
전설의 할머니—기둥시계의 고풍한 秒秒針소리가 나의 귀에서 머얼다

—갑자기 시계가 홍소哄笑를 치며 U자字로 두 팔을 벌린다
순간 음향의 파문이 방안으로 퍼지고……

새로 3시時—

나는 여전히 하얀 암체어에 기대어
추억의 추잉껌을 찌근거린다……

## 해안海岸에서

바다의 푸른 잔디밭에서 아웃성치며 놀던 물결의 어린이들은
숨을 씨근거리며 뛰어들어가 안긴다, 늙은 어머니 해안의 가슴에—

그들은 어머니의 그 은실 같은 흰 머리칼 위에 키스를 거듭하고
이윽고 다시 넓은 잔디밭을 향하여 뛰어나간다

어린 장난꾼들이 가져다 씌운 머리의 풀북더기—해초 씻을 것도 잊고
멀리 달아나는 어린 것들의 뒷모양을 귀여운 듯이 바라보는 늙은 어머니—
시방 그의 입술에는 행복의 웃음이 샘물처럼 흐르고 있다

제4부

# 유년송幼心抄

# 앨 범

푸른 빛 앨범
마음의 고향.

그는 우리에게 지나간 날의
아름답던 꿈을, 찾을 수 없는 꿈을
역력히 가져다 보여줍니다

우리는 그 속에서 다같이 웃으며
정다이 모이어 쏘곤댑니다.
머언 길을 떠나간 동무.
간 곳조차 알 길 없는 첫사랑
모두 다 읊조리니 모이어 행복합니다

동무도 가고 세월도 갔건만……

그는 우리에게 지나간 날의
즐거웁던 노래를 들려줍니다

## 귀 로歸路

나는 해 져서 어슷어슷한 논길로
소 몰고 소리하며 돌아옵니다
하루종일 꼴 베기에 시달린 두 다리도
오막살이 내 집에 반짝이는 불을 보면
가볍게 성큼성큼 딛어집니다

나는 해 져서 어슷어슷한 논길로
소 몰고 소리하며 돌아옵니다
나를 기다리고 계신 어머니께 드리려
풀꽃으로 화환을 만들어 들고.

어머니는 나의 이 선물을 받으시고
나의 이마에 입맞춰 주시겠지요
그리고 나에게 따뜻한 국과 밥을
한 사발 가득 담아 가져다 주시겠지요

나는 해져서 어슷어슷한 논길로
소 몰고 소리하며 돌아옵니다
가슴은 행복에 가득 넘치고
서쪽엔 초승달이 걸려 있습니다

# 섬

바다 저쪽에 섬 하나 있습니다

봄이었건만 꽃송이도 볼 수 없어요

아마 아무도 살지 않나 봅니다

-그러기에 아침에도 저녁에도 밥 짓는 연기가 안오르지요

만일 내가 헤엄을 칠 줄 안다면

아니 내가 배를 저을 수 있다면

나는 꽃씨를 들고 가 온 섬에 뿌리어

아름다운 꽃섬을 만들겠습니다

그리하야 내가 자라 어른이 되거든

나의 사랑하는 비둘기와 귀여운 토끼를 데리고 저 섬에 가서

나홀로 고요히 살겠습니다

고요히 한 세상을 살겠습니다

# 선 물

맑은 강 은하수銀河水가
푸른 풀밭에
송이송이 별꽃이
피었습니다

하늘 계신 공주님
예쁜 아가씨
고이고이 별꽃 따서
던지시며는

달도 없는 바닷가
외로운 물새
내려오는 선물을
기다리지요

張 萬 榮

第二詩集

# 『축제祝祭』

人文社 · 刊

1939년

# 제1부

※『축제祝祭』 초판은 1939년에 서울 人文社에서 발행됐으며, 광복후 저자는 개정판을 내기 위하여 원고를 수정했으나 펴내지 못하였다. 이에 저자의 뜻에 따라 개정판 원고를 여기 싣게 되었기에 초판본과 다름을 밝힌다.

## 이니셜INITIAL

유리창에

젖빛 수증기가 잔득 어렸다

S · E—나는 그이의 이니시얼을 쓴다.

은색 글자가 차고 슬프다.

나는 손수건을 꺼내 지운다.

지우고 또 지워도 슬픔은 사라지지 않는다.

유리컵 안에 피었던

장미꽃마저 병든 밤.

나는 가슴을 앓는다.

가슴을 앓으며 내 사람을 생각한다.

S · E—비둘기처럼 내 품에서 날아가버린—.

## 순이順伊와 나와

푸른 잔디밭을 깔고
순이와 나란히 앉았다.

순이의 어깨로 나의 팔이 오른다.
나의 어깨로 순이의 팔이 오른다.

순이 너는 내가 좋으냐?

순이의 눈이 수정처럼 맑아진다.
순이의 얼굴이 나의 가슴을 파고든다.

솔바람이 바다처럼 시원스런
언덕
봄

순이와 나는
먼 산맥들처럼 고요한 「내일」을 생각하며 행복하다.

# 조 개

바다도 갈매기도
조개는 잊은 지 오래다.

이 저녁
바다엔 고기떼가 뛰고
해안은 금빛 놀이 아름답건만……

조개는 바람 찬 모래벌 위에
보람 없는 꿈조각만 토하노니

이윽고 달이
저 모래언덕 위에 둥긋이 떠 오르면

조개는 또
고독과 애상의 캘린더만 뒤지고 있겠구나.

## 병 실病室

비가 밤을, 밤이 창을 밀며 온다. 나는 램프에 불을 켠다. 나는 창 앞으로 가 본다. 캄캄한 밤. 나는 열이 높다. 나는 기침을 한다. 나는 코끼리처럼 갑갑하다. 나는 찬 유리에 입김을 흐린다. 나는 입김을 흐리어 손끝으로 회화를 그려본다.

다리가 기린처럼 긴 녀석—

그는 눈이 퍼얼 펄 내리는 광야를 가는 것 같다. 그는 지향없이 쫓기어 가는 것 같다. 그는 백계 러시언인 것 같다. 그는 임을 잃은 나 같기도 하다.

나는 다시 자리로 돌아와 눕는다. 나는 고달프다. 나는 자고 싶다. 나는 가만히 눈을 감는다. 비가 눈을, 눈이 바람을 몰고 온다…….

## 향 수鄕愁

나는 바다로 가는 길로 걸어간다. 노오란 호박꽃이 많이 핀 돌담을 끼고 황혼이 있다.

돌담을 돌아가면—바다가 소리쳐 부른다. 바다 소리에 내가 젖는다. 내가 젖는다.

물방울이 생활처럼 차다. 몸에 스며든다. 오새는 모든 것이 짙은 커피처럼 너무도 쓰다.

나는 고향에 가고 싶다. 고향의 숲이, 언덕이, 들이, 시내가 그립다. 어릴 적 기억이 파도처럼 달려든다.

바다가 어머니라면—하고 나는 생각해 본다. 바다의 품에 안기고 싶다. 안기어 날개같이 보드러운 물결을 쓰고 맘 편히 쉬고 싶다.

수평선 아득히 아물거리는 은색의 향수. 나는 찢어진 추억의 천막을 깁는다, 여기 모래벌에 주저앉아—.

## 호수湖水로 가는 길

밤이 별들을 안내하며
저 들을 고요히 건너 올 때

오리와 흰 거위란 놈은
돌아갈 길조차 잊어버리고
호수로 가는 길가에 서서 이야기만 하고 있다.

저녁 물바람이
풀피리 소리를 싣고 올 때

물동이를 이고 돌아가는
마을 색씨들의 흰 옷 그림자가
조각달처럼 외롭구나.

호수로 가는 길은
별이 포도송이처럼 열린 저 하늘에 닿은 듯—

머언 마을 뒷산엔
벌써 소쩍새가 나와 운다.

# 제2부

## 병 든 아가씨와 앵무鸚鵡

해안을 끼고 별장지대가……, 봄바람에 꽃잎이 떨어진다. 햇볕 포근한 노대에 아가씨는, 아가씨는 가슴을 앓으며 탄식한다.

오오, 오오……

파아란 하늘에 기러기 떼가……, 가을은 소리없이 별장을 찾아온다. 아가씨 없는 노대에 앵무는 향수를 앓으며 홀로 운다.

오오, 오오……

# 슬픈 조각달

바다로 향한 창에 기대어
달빛에 부서지는 파도 소리를 듣는 것은
가슴을 앓는다는 그 여자이지요?

차디찬 해저 깊이
그가 꽃다운 계절을 매장한 지도 오래다 하니
오늘밤 지는 낙엽조차 마음에 무겁겠습니다.

일찍이 나도 당신 같은 귀여운 아가씨를
구비구비 돌아가는 저 강물에
봄과 함께 떠내려 보낸 쓰라린 기억이 있다오.

저기 잠든 거리가 흐르오.
저기 달빛에 구름이 흐르오.
멀리 당신을 바라보는 내 가슴에—슬픈 조각달이 흐르오.

## 바다로 가는 여인女人

I

바다 가까운 요양원—

거기 꽃 한 가지 없는 병실한 구석에

젊은 그 여인은 오래 가슴을 앓았다.

마음에 좀은 들고…… 피부는 백랍처럼 희어지고……

그는 행복이 그를 버리고 제비처럼 그 어느 먼 나라의 푸른 사월을 찾아 갔다는 것을 알고 있다.

그리고 깊은 밤마다 그는 본다, 그의 육체의 지붕에서 날아가는 비둘기들을. 한 마리 두 마리 날아가면 다시 돌아올 줄 모르는 청춘의 비둘기들을.

해변 모래알보다도 덧없던 사랑. 사랑.

지금은 오직 가지가지 추억만이 그의 치운 가슴을 탁목조처럼 쪼을 뿐이다.

II

유달리 열이 높고 기침이 심하던 날 밤, 그는 동백꽃보다도 더 붉은 것을 입으로 토하였다.

밤은 해저처럼 고요하다. 남창으로 강물처럼 밀려오는 달빛이 차디찬 베드를 적시고 그를 적신다.

푸른 달빛을 조용히 호흡하면 마음만은 화분처럼 가벼운 것 같아…… 그는 노대로 나가보았다.

밤하늘을 흐르는 차가운 달. 달을 스치며 자꾸자꾸 떠내려가는 구름. 구름.

−파도 소리가 바람을 타고 멀리 들린다.

그는 어디선가 저를 부르는 늙은 어머니의 음성을 들은 것 같다.

"어머니!"

그는 두 손을 가슴에 대고 아득한 대지를 향하여 나직이 불러보았다.

III

달빛을 머리에 이고 여인은 모래벌을 바다로 간다.

바다는 그녀를 부르고…… 바람은 그녀를 붙들고…….

치마폭이 깃발처럼 펄럭인다.

손수건을 입에 대고 걸어가는 그를 따르는 손수건을 입에 대고 걸어가는 검은 그림자−

그림자는 그녀의 반생처럼 젊고 슬프다.

기침을 하며 피를 토하며 농부처럼 피로한 몸을 그는 어서 어머니−바다의 품에 맡기고 싶었다−

바다여, 안아다오.

바다여

# 까 마 귀

까마귀가 운다, 어디인지 알지도 못할 곳에서.

국경을 건너 먼 이국거리를 헤맬 때
그때도 저 시커먼 새는 따라와 슬피 울더라.

까마귀야 내 늑골을 쪼아먹는 새야
멀리 나에게서 날아가려무나― 딴 나라의 깊은 숲으로.

무서운 밤이
말없이 저기 저리를 향하여 걸어온다
그 무슨 일인지 창 밖으로 중중거리며 소리치며 뛰어가는 사람들……

나는 임종하는 이처럼 호흡이 가쁘구나!

오오, 오매야 촛불을 밝혀 다오.
촛불을 밝혀 다오― 내 마음 위에.

# 여 인女人 I

병 든 물새들이
파닥거리고…… 우짖고…… 피를 토하는
바다,
그런 어둠의 바다가
그 여인에게 있었을 줄야…….

푸른 동해가 바라다 보이는
서늘한 테라스—
스페인 · 베드 위에 누웠던 여인은
새벽달같이
차고 희었다.

## 여 인女人 II

창 밖에 가을 빗소리가
폐를 앓는 그 여인의 기침 소리로 밖에
그렇게 밖에 안들리는 날—

가슴 구석마다
그 여인의 기억이
다시 거미줄을 늘인다.

# 제3부

# 바 다

달맞이꽃 노오란 모래 언덕을 넘어
바다여 너를 찾아
내 여기 왔다. 나를 버리고 갔던 그 여인을 데불고 내 여기 왔다.
오오, 너를 보는 것이 몇 해만이냐.
삶에 쫓기어 쓰라릴 때마다
얼마나 얼마나 네가 보고 싶었던지…….

파아란 저 하늘엔 구름이, 흰 거위 같은 구름이 흐르고
해초 냄새 향긋한 바람 내 머리카락을 흩날리는 오늘,
바다여 너는
하늘로 갈매기를 쫓으며
어린 강아지 모양 뛰어가고 뛰어오고…….
내 앞으로 먼 항해를 하는 선박들을 부르나니
너는 그렇게도 내가 좋으냐.
너는 그렇게도 날 따라 온 이 여인이 좋으냐.

바다여
웃어라
노래 불러라
탱고를 추어라— 축젯날처럼.

나는 몹시 피로한 사람이다. 너 나를 위무해 주렴. 너 나의 이 비애를 매만져 주렴.

바다여
아예 너의 아득한 수평선으로 밤을 부르지 말아.
밤이 오면
내 네 곁을 떠나야 하나니, 함께 온 이 여인을 보내야 하나니…….

그러나 밤은, 밤은 반드시 오리라. 이윽고 슬픔도 밤을 따라 나에게 돌아오리라.
오오, 바다여 바다여
내 곁을 떠나야 할 그 때를 생각하고
여인을 보내야 할 그 때를 생각하고

오늘 한종일 내 너하고 놀리.
모든 생각을 잊고
내 오늘 한종일 너하고 놀리. 즐거워하며…… 내 결코 슬퍼하지 않고…….

# 복 녀福女 I

매소부 복녀의 품 속에 피곤한 내가 있다. 내 가슴 속에 이별의 슬픔이 있다. 슬픔 속에 뜨거운 눈물이 있다.

비를 몰고 오는 차디찬 새벽. 새벽이 들창을 노크할 제, 안타까운 마지막 입술과 입술……. 복녀의 검은 눈썹에 눈물이 방울방울 이슬처럼 맺힌다…….

복녀야 너는 화분처럼 고운 너의 연정戀情으로 내 가난한 청춘을 장식하더라. 그러나 새벽은, 새벽은 너무도 잔인하구나.

흐득여 우는 것은 창밖에 겨울비다. 눈물을 흘리며 슬퍼하는 것은 복녀다. 나다. 마음 동산을 휩쓰는 것은 어젯밤 추억의 바람이다.

화롯불 삭아 쓸쓸한 행랑방, 나는 거기 두고 온 복녀를 생각하며 아직 밤들이 머물고 있는 뒷골목을 걸어간다. 뒷골목을 걸어가며 오랜 세월의 나의 적막을 계산한다…….

## 복 녀福女 II

한 번 만났다 헤어지고 그리고
다시는 만나지 못한
복녀야

새벽달보다
희고 찬 육체를 가진……
그러나 멜런 맛이 있는 입술을 먹이던
복녀야

내품에서 함박눈처럼
그렇게 녹아 버리고 싶다고
하룻밤 사랑에도 목메어 울던
복녀야

너는 악의 산협에 피어난 한 떨기 인정의 꽃.
너는 향긋한 눈물의 과실.

눈물을 잔득 머금고 바라보는 너의 눈 속에는
복녀야 아름다운 우주가 있더구나.

## 소 년少年

장미가지를 휘어 울타리를 한 하이얀 양관을 돌아가면 곧 바다였다.

어느 날 황혼. 소년은 바다로 나가 가슴 깊이 오래 지니고 있던 무지개 같은 꿈을 차디찬 물결 위에 집어 던졌다. 그리고 자기 봄마저…….

이제 꿈은 해저 깊이 바둑돌처럼 가라앉아 떨어지는 꽃잎새들을 생각하고 있으리라……. 이제 서글픈 느낌만을 주던 봄도 이슥고 물결 따라 그 어느 먼 해안으로 아주 떠나 가리라.

소년은 가벼운 마음에 휘파람까지 불며 황혼길을 돌아갔다. 등 뒤에서 부르는 바다 소리를 하모니카처럼 들으면서…….

그러나 소년은 그날 밤부터 시름시름 병을 앓아 자리에 눕고 말았다. 그가 무슨 병으로 앓는지는 의사도 모르는 수수께끼였다.

## 매소부賣笑婦

그는 잔인한 폐균이 복사빛 그의 가슴을 좀벌레처럼 파 먹는 것을 알지 못하였다. 그러므로 육체의 따뜻한 체온이 얼음장같이 냉각하여 가는 것을 그렇게 슬퍼하지는 않았다.

그가 순정의 의상을 분실하였다는 이야기는 벌써 오랜 전설이다. 그의 육체는 식인종같이 광포한 사내들이 깔기고 간 지저분한 낙서로 더럽혀졌다.

회한도 없다. 슬픔도 없다. 구겨진 지도 같은 노령만이 그의 얼굴에 연대표 모양 걸려 있었다.

그가 그 어느 전원에서 야채를 재배하려던 것은 꿈에서 살려는 그의 마음이었다.

폐허와 같은 육체의 성 속에 왕자와 같이 얼굴 흰 사내를 기다리던 것은 그의 마지막 행복이었다.

현실처럼 찬 겨울날, 늙은 매소부는 서울 뒷골목 어느 행랑방에서 죽었다. 이웃 사람들은 지촉 대신 조소를 보내었다.

# 제4부

## 가을 누나

누나야
오늘도 한종일
시드른 금잔디밭에 앉아 무엇을 생각하고 있니?
바람에 떨어지는 나뭇잎새들을 바라보며
너는 가을이 오는 것을 슬퍼하니?

가버린 여름날의 한 개 태극선처럼
그렇게 잊어버렸을
너는 그 얼굴 흰 사나이를 생각하니?

오월 꽃송이처럼 날리는
산협 저녁안개는 가슴에 해롭다더라.
생각하는 것은 더욱 해롭다.
모두가 슬픈 세월의 꽃다발이었나니
저기 조그만 호수에
네 무거운 마음을 던지렴.

대낮에 저 수풀 아래에서
떨어진 아름을 줍던 아낙네들 돌아가고
시방 차디찬 밤이 산을 넘어 내려온다…….

누나야 생각을 말고
그만 숙소로 돌아가자.

돌아가서 슈미네에 장작불을 지피고
네가 좋아하는
그 「에레나의 이야기」를 어제와 같이 들려주마.

## 아 가

굵은 빗줄기가 유리창을 차고 달아난다. 달아났다가는 다시 돌아와 찬다. 차고는 가고 갔다가는 와서 차고……. 바람소리, 빗소리, 온갖 우주의 소리가 나의 귓속에서 버석거린다.

"응아, 응아"

밤은 깊고—. 담벼락을 더듬어 다니는 고양이 소리 같지는 않다. 아가가 젖을 달라고 보챈다. 엄마를 찾는다. 아니, 아배를 부른다.

"오냐, 오냐"

나는 팔을 벌려 안아 주고 싶다.

"아가야, 너는 어디메 있니?"

나는 창窓 앞으로 달려가 문짝을 열어제쳤다. 캄캄한 어둠 속에서 바람이 달려들어 나를 찬다. 빗줄기가 나를 갈긴다.

오오, 쳐라! 갈기어라!

비여

바람이여

어디선가 아가의 우는 소리가 비바람 소리에 섞여 자꾸자꾸 들려온다…….

"아가야!"

나는 아가를 부르며 부르며 창을 넘어 뛰어나갔다.

포도鋪道는 조수 민 강변처럼 비에 잠기고……. 나는 비바람에 불리며 쫓기며 끝없이 달리었다.

늘 다니던 골목길이 처음 온 나라 같구나. 꼬불꼬불 담을 돌아 비를 쓰고 바람을 지고 헌 마고갑처럼 굴러 다니노라면 오오, 저기 아가는 나를 부르고 섰구나. 아가는 나를 보고 웃는구나.

가로등에 부서지는 빗방울. 빗방울. 빗방울이 아가의 얼굴이라. 아가의 얼굴이 둘이라, 셋이라. 아니, 넷이라. 아니, 다섯이라. 열이라. 스물이라. 백이라. 천이라. 오오, 수없는 아가가 하늘에서 내려오는구나.

비바람 그치면 서울 하늘에도 달은 있다.

폐허같이 조용해진 종로의 넓은 거리—

나는 갑자기 꺼이 꺼이 목놓아 울고 싶더라, 저기 전주라도 붙들고…….

"응아, 응아!"

"아가는 어디서 저렇게 울고 있노?"

나는 고개를 들어 아가를 찾는다. 어디인가 아가는 나를 기다리고 있을 것만 같다.

"오냐, 오냐"

나는 적삼을 헤치며— 적삼 속에 아가를 품으려고 다시 걸어갔다, 아가를 부르며 부르며…….

나의 피리는 찢어진 지 오래다.
이따위 피리로 그 무슨 좋은 곡조를 부를 수 있으랴.
나의 귀여운 마녀, 지금 그도 병들었나니
오오, 차디찬 과거여 비애여
가거라!
그 어느 먼 북극으로라도, 썰매를 타고.

그때 나는 아가와 단둘이 살리라. 조개처럼 물고기처럼 무심히 살리라.
아가야, 아배는 아가의 집에서 아가와 단둘이 살고 싶다…….

## 귀거래歸去來

새벽마다 베개는 내 눈물에 젖었더라.
아가는 나를 기다리는가.
돌아가리, 내 아가의 곁으로 돌아가리.
계집을, 동무를, 시를……
나의 즐거움이었던 모든 것을 내던지고
아가를 위하여(내 섭섭히 생각하지 않고)
돌아가리, 내 아가의 곁으로 돌아가리.
뻐꾹새가 많이 날아와 우는 동리.
복사꽃 구름 피듯 유달리 아름다운 동리.
나는 거기 아가와 둘이 살자.
바람이
저 하늘로 구름쪽을 몰고 가듯이
이윽고 아가와 내가
저기 푸른 들로 가축을 몰고 다니는 날—
오오, 그날 나의 마음은 청징하고
인생은 단옷날처럼 즐거우려니
돌아가리, 내 아가의 곁으로…… 고향으로.

張 萬 榮

第三詩集

# 『유년송幼年頌』

珊瑚莊 · 刊

1948년

제1부

# 어머니에게

## 생 가生家

누룩이 뜨는 내음새

술지게미 내음새가 훅훅 풍기던 집

방마다 광마다

그뜩 들어 차 있는 독 안에서는

술이 끓었다.

술이 익었다.

해수병을 앓으시는 어머니는

숨이 차서…… 기침이 나서……

겨울이면

요를 두른 채

어둔 등잔불 곁에서

긴긴 밤을 노상 밝히곤 했다.

아버지는 집을 나가신 뒤

몇 해를 두고 소식이 없으시고

오십 간 가까이 크나큰 집을

어머니와 둘이서 지키는 밤은

귀신이라도 나올 것 같아……

바람 소리

기와골에 떨어져 구르는 나뭇잎새 소리에도

나는 이불을 뒤집어쓰고 숨도 쉬지 못하였다

## 유 년幼年

뒤란은 햇볕이 잘 들어

사시장철 고은 꽃들이 피어 있었다

성처럼 쌓아올린 돌담을 넘어

무수히 날아드는 흰 나비 호랑나비……

형도 누나도 없이 자란 탓에

늘 계집애 모양 소꿉장난을 하며 놀았다

—꼴때 말때

—꼬올 꼬리 끓어라

가까이 누가 있는 기척

문득 고개 들어 바라보는 굴뚝 모퉁이에

어머니의 얼굴이

보름달처럼 웃고 계시다

## 달 밤

두 눈 감으면
지금도 나의 눈속에 서언히 비친다
볏난가리 꽉 들어 차 있던
고향 집 옛마당이……
올배채기도 하였고
자치기 칼치기 돈치기도 하였고
마당은 우리 모두 모이어
숨바꼭질 하기에도 좁지 않았다
—잡으러 간다
—꼬옹 꽁 숨어라
—머리칼 뵌다
달밤 기러기 자꾸 북으로 날아가고
그런 밤이면 이런 어린 목소리들이
고요한 마을 밤 하늘로 사라져 갔다
밤이 깊도록……

## 성 묘省墓

아버지가 내 한 손을 이끌으시고

할아버지 산소에 가던 날은

햇볕도 좋고 산빛도 좋아

끝없이 걸어서 가고만 싶더라

실개천 건너뛰면

거기 옛 이야기 같은 조그만 마을이 있고

마을을 지나면 언덕

언덕을 넘으면 좁다란 들길

들길에는 새빨간 산딸기가

가도가도 [illegible]없이 열렸더라

산딸기 주렁주렁 열린 들길로

산딸기 따먹으며 쉬엄쉬엄 가다가

솔밭 속으로 들어서 한참을 가면

양지바른 널따란 잔디밭에

할아버지의

할아버지의 아버지 어머니의 산소들.

송편에 고기에

대추에 밤에 식혜에 술에

모두 거기 차려놓고 절하다

바라보는 하늘

하늘이 맑고 곱더라

산 숲에서는 산꿩이 자꾸 울고…….

# 마 중

밤이 이슥토록
장에 가신 아버지가 아니 오신다
어머니는 호롱에 불을 켜 들고
나를 앞세우고 마중을 나가신다

캄캄한 밤은
누가 곁에서 뺨을 쳐도 모르게 어두운데
안개가 비오듯 내린다

논에서 개구리가 요란스러이 울고 있다
개구리 소리가
아가사리 귀신 소리같이
그렇게 들린다

웬일인지 나는 자꾸 무섭다

바로 이때이다 나는 먼 강변 둔덕에
한 개 커다란 불덩이를 보았다

머리카락이 하늘로 쭈뼛 솟는다

"엄마 저 불이 뭐야?"
어머니는 태연히 말하신다
"거위 잡는 불이지 무슨 불이야!"

불덩이가 강을 끼고 굴러 달아난다
달아났다가 하늘로 올라선다

그 다음
한 개의 불덩어리는
수없는 작은 불덩어리가 되어
별처럼 흩어져
들로 산으로
하늘로 산으로 들로 달아났다

온 천지가
파일날 밤의 수박등같이
도깨비불 투성이다

……흩어져 갔던 불들이
일제히 강변을 향하여 몰려든다

몰려 왔다가
다시 커어다란 한 개의 불덩이로 뭉친다
뭉쳤다가는 흩어져 달아나고
달아났다가는 몰려 들고
그랬다가 다시 흩어져 달아나는 불덩이 불덩이 불덩이……

나는 무서움에 걸음조차 걸리지 않았다
어머니 치맛자락을 잡는다
그래도 어머니는 모르는 체 길만 가신다

이윽고 산기슭을 돌아 나오는
말방울 소리가 멀리 들려온다
짤랑짤랑 짤랑거리는 저 방울소리
저 소리는 분명히 우리 집 말방울 소리다

앗 아버지가 오시는 것이다
"아버지이 아버지이!"
나는 아버지를 소리쳐 부르며 부르며
캄캄한 어둠 속을 뛰어갔다

## 가 을

나락도 다 거둬들인 뒤
그러나 아직 눈이 오기에는 이른
바로 그 무렵이면
어머니는 으레 나를 데리고 물탕을 갔다.

우리가 찾아가는 온정이란
들길로 산길로
읍에서 오십 리나 되는 산골이었다.

교군을 타고
때로는 노새를 타고
어머니와 둘이 가을 하늘 아래로 가노라면
먼 숲에서 우는 산비둘기 소리가 좋고
짤랑짤랑 노새의 방울 소리가 좋아
어느덧 나는 어머니 품에 얼굴을 파묻고 잠들곤 했다.

그때 어머니는 젊고
나는 나이 넷이었나 다섯이었나
기억조차 아득하나
티없이 자라던 시절이여

나락도 다 거둬들인 뒤
그러나 아직 눈이 오기에는 이른
바로 그 무렵이면
나는 나의 어릴 적 온정행이 그립고
어디선가 산비둘기 소리
노새 방울 소리가
짤랑짤랑 나의 귀에 들리는 것 같다

## 축 원祝願

채 온정에도 들기 전
숙소를 정하기가 바쁘게
어머니는 물아가씨를 찾으신다

차떡에 청포에 과일을 사들고
어머니가 찾아가 무수히 허리 굽혀 절하는 물아가씨란
그저 쓰러져 가는 당집 같은 어둡침침한 속에
발갛고 노오란 오색의 헝겁만이
바람에 한들거리고 있는 것이었다

두 손을 공손히 비비시며
자꾸 허리 굽혀 절하시던 어머니
그때 어머니는 무엇을
그리고 누구를 위하여 축원하시었을까
소복을 하야니 하신 어머니는
젊고 아름다운 아낙네였다

아아 지금도 서언히 그리운
마리아와 같이 숭스럽던
젊은 아낙네여
어머니여

## 욕 천浴泉

물에 들면
안개 같은 수증기가 자욱한 속에
여기저기 과남소리만 소란한데
모두들 웃으며 떠들며
천당이었다

온정에 조약돌은 귀병에 좋고
물은 부스럼에 약이라고
사흘 물 닷새 물을 끝내고 돌아올 때는
너도 나도 그것들을
가지고 왔다

## 홍 역紅疫

덧문을 꽉 닫고
문에는 담뇨를 휘장모양 깊이 내리운 방
방은 밤같이 어두워
대낮에도 늘 등잔에 불을 켜 놨다

홍역에는 가제가 좋고
노루피나 신개똥이 약이라는데
나는 그 놈의 신개똥이 쓰고 더러워
그것을 먹으려 할 때마다 짜증을 내며 울었다

울면 청국 괭이 온다고
어머니가 나를 어르고 달래실 때
앗 그놈의 무서운 짐승은 왔다
어느덧 들창 밖에 정말 와 있다

창살을 긁으며
으르렁거리는 청국 괭이
나는 그 누우런 괭이가 무서워
울던 울음을 약과 함께 꿀꺽 삼켰다

## 후 기後記

十餘 年 전前의 작품作品 中에서 어릴 적 기억記憶을 노래한 것만을 모은 것이 이 少年集이다.

이 『유년송幼年頌』은 널리 世上에 내 놓아 그 가치價値를 무르려는 것이 아니라, 우인지기友人知己에 드리어 그 우정友情에 보답報答하고자 엮은 것이다.

張萬榮

같은 저자著者에

| | | | |
|---|---|---|---|
| 시집詩集 | 양羊 | (1937년) | 絶版 |
| 시집詩集 | 축제祝祭 | (1939년) | 絶版 |
| 시선집選詩集 | 원정園丁 | (近刊) | 文庫 |

張 萬 榮

第四詩集

# 『밤의 서정抒情』

正陽社 · 刊

1956년

# 제1부

# 이 향 사離鄕詞

## 비의 이미지image

병든 하늘이 찬 비를 뿌려……
장미薔薇가지 부러지고
가슴에 그리던
아름다운 무지개마저 사라졌다.

나의 「소년」은 어디로 갔느뇨, 비애悲哀를 지닌 채로.

—오늘밤은
창窓을 치는 빗소리가
나의 동해童骸를 넣은 검은 관棺에
못을 박는 쇠망치 소리로
그렇게 자꾸 들린다…….

마음아, 너는 상복喪服을 입고
쓸쓸히, 진정 쓸쓸히 누워 있을
그 어느 바닷가의 무덤이나 찾아가렴.

## 수 야愁夜

나는 시커먼 빌딩과 빌딩이 늘어서 있는 거리의 뒷골목을 걸어간다. 슬픈 밤의 피부皮膚를 적시며 비는 퍼붓는다.

나의 쓸쓸한 마음을 씹으며 걸어 간다.
나는 나의 고독孤獨과 나란히 걸어 간다.

나는 누굴 찾아가는 것일까.

참, 나는 어디를 간다는 걸까.

강아지처럼 나를 따라오는 나의 기억記憶. 무수한 과실過失과 낙서落書투성이의 나의 청춘靑春. 나를 괴롭히던 사랑이, 사랑이 거주居住하다 나간 나의 육체肉體.

종이쪽은 바람에 불리우고
나는 생활生活에 불리우고.

내가 쓰고 가는 우산대雨傘臺로 차디찬 물방울이 흘러 내린다. 빗방울이 쥐어 주는 차디찬 슬픔. 야기夜氣가 차구나, 북해北海의 가스처럼.

낡은 장명등長明燈이 삐뚜로 서 있는
지하실地下室의
주장酒場.

나는 거기 돌층계를 분주히 내려간다. 자꾸 무너지려 하는 나 자신自身을 버티고자……버티고, 그리고 지키며 위로慰勞하고자…….

## 뻐꾹새 감상感傷

봄을 따라 아가가 갔다. 조그만 아가의 관棺이 나가던 날은 비가 무섭게 퍼부었다. 나는 몹시 슬펐다. 나는 여행旅行을 떠났다. 산골의 온천溫泉에서 달포를 있었다. 밤마다 뻐꾹새가 울었다. 나는 그 때 술을 배웠다.

※

뻐꾹새 울음을 들으며 눈물짓노라,
뻐꾹새는 서러운 새 서러운 목소리로 울음우네,
뻐꾹새는 밤새 뉘를 찾아 저리 우누?
아빠를 모르고
엄마를 모르고
서얼고 쩌르게 살다 가버린 아가,
아가는 죽어 뻐꾹새가 되었느뇨.
뻐꾹새가 되어 뻐꾹 뻐꾹
아빠를 찾아 엄마를 찾아 저리 우느뇨.

깊은 산골,
초라한 여인숙旅人宿.

여울 물소리, 뻐꾹새 울음 소리.
나는 자칫하면 눈물이 후두둑 떨어질 것만 같어라

뻐꾹새. 뻐꾹새. 뻐꾹새.
뻐꾹새는 저기 숲에서 살지?
어느 곳 하늘 아래 나의 아가는 사누?

# 서 정 가抒情歌

봄, 비는 시름시름 내려를 오고
봄, 녹슬은 마음이 창窓에 기대어 서글퍼 하고 있다.

태양太陽은 가 버리고…… 저기 빌딩과 빌딩 사이로 보이는 하늘에 달이 떴다. 달 같은 나의 감상感傷. 나는 저 향수鄕愁의 노래가 들린다, 어두운 창窓 밖에, 그리고 창窓 안에. 나는 담배를 피우며 생각한다. 우리가 살던 그 마을에 어느덧 꽃은 피었을까. 양羊 치는 머슴과 그의 아내처럼 그 때 우리는 아무 슬픔도 모르고 살았던 것을―. 우리가 사랑은 하고, 그랬길래 우리에게 괴롭던 마을……. 기억記憶은 한줄 연기처럼 슬픔으로 피어……. 피어 오르는 슬픔 속에 마을 풍경風景이 펴어러니 떨린다. 아아 맑은 하늘, 푸른 하늘, 따슷한 하늘에 구름은 바람에 쫓기어 돌아 다니고. 보리종달새 우짖고. 어딜 가나 꽃향기 풀향기 숨 막히게 풍기는 곳. 그 곳을 이제 우리 찾아가리라.

봄, 녹슬은 마음이 창窓에 기대어 서글퍼하고
봄, 비는 시름시름 내려를 온다.

## 가 버린 날에

바람소리가 어느덧 나의 귀에 익었다. 나는 산山에 있었다. 한종일 산山에서 산山으로 짐승과 같이 헤매다니었다, 항시 내리지 않는 슬픔을 지니고. 나의 벗이라고는 먼 메아리뿐. 황혼黃昏이 산정山頂의 깃발旗을 내리울 녘이면 떠나온 고향故鄕의 거리가 못견디게 그리웠다. 그럴 때면 나는 으레 보낼 곳 없는 편지를 썼다. 때로는 가랑잎에 초콜릿 같은 시詩를 쓰기도 했다, 먼 그이를 그리면서.

산골의 반딧불이는 별만큼이나 큰 것이 무서웠다.
달이 밝으면 산 짐승도 숲에서 처량히 울곤 했다.

## 눈이 내리는 밤에

눈이 내린다, 오가는 이 없는 깊은 밤을.

황량荒凉한 들판을 차가운 바람이 달리고

가 버린 세월歲月에, 그리고 사랑에
마음이 검은 기旗ㅅ발처럼 펄럭거린다.

찾아가고 싶은 이는 하나 없고
내리는 눈에 젖어 눈물에 젖어 걸어가면
차디찬 밤 하늘로
까마귀처럼 울며 불며 날아가는 가슴 속의
이 설음.

나요, 너는 영영 고독孤獨에 울어야 하느냐.

눈 눈 눈눈눈
눈아, 내리어 푹 푹 쌓이어라.
온갖 더러운 것을 덮고
그리고 너는 나마저 덮으려무나.

모란꽃 뚝 뚝 떨어지듯이
그렇게 내리는 눈 속에 파묻혀
나는 그 때 아름다운 꿈을 꾸리라, 눈과 같이 순결한…….

# 풀 밭

언덕의 풀밭은
항시 햇볕이 따슷하다.
거기에는
민들레, 할미꽃 같은
어리고 고운 꽃들이 피어 있다.
별로 신통할 것 없는 세상이기에
언덕을 찾아가
거기 풀밭에 누워
하늘을
하늘의 구름을 바라보며
산새들의 지저귐을 듣는다.
언덕의 풀밭은
바다 속 같이 조용한 곳이다.
어지러운 마음
서러운 마음을 포근히 하여 주는
사람보다 정다운 곳이다.

## 새의 무리

언덕의
잔디밭에
햇볕은 따슷히 스며들고.
따슷한 양지밭에
흩어진 낙엽落葉 위에 드러 누워
바라보는 하늘,
하늘이 드높고 드높고 맑다.

바람도 푸르고 산山도 푸르러
온통 푸른 빛에 젖어
나는 홀로 외로운 행복幸福 속에 있는
행복幸福의 외로움을 생각한다.

이 때 문득
앞을 가리며 새의 한떼가 날아갔다.

거 무슨 새일꼬?

바람에 불리우며 끝없이

끝없는 하늘의 층층계를 기어 올라가는
새, 새, 새…… 수없는 새의 무리.
대체 새들은 어딜 간다는 게냐.
멀고 먼 하늘의 저쪽—
일찍이 그들의, 그리고 인간人間의 둥지였던
낡은 주소住所를 찾아가는 것이냐.

지구地球가 이렇게 푸르고 고요한 대낮에
새들은 하늘로
하늘로 자꾸 올라만 가니
그래 장차 무슨 일이, 그 무슨 일이 일어난다는 게냐.

## 이향사離鄕詞

나는 고향故鄕을 떠나가리라.
십년十年 전前 옛날
「귀거래歸去來」 한 편篇을 써 던지고
서울이 싫어
아니, 못견디게 그리웁기
돌아왔던 내 고향故鄕.

……나도 우리의 조상祖上들이 그랬듯이
아득한 옛날의 우리의 선조先祖의
선조先祖의 마음을 그대로 받아 지니고
그 마음을 자손子孫에게 전하며
그렇게 살다 죽고 싶었다.

그러나, 고향故鄕은 내가 그리던
그리고 나의 기억記憶에 있는
그런 곳이 아니더라.

차라리 내 고향故鄕을 버리리.
고향故鄕을 버리고 떠나가리라.

오늘은
저 늙은 산山마저 내 마음을 아는 듯
떠나가라고 고개를 끄덕이네.

## 관 수 동觀水洞

관수동觀水洞 다리를 건너면 변전소變電所의
드높은 빌딩이 있는 부근附近.
독을 파는 전방이 있고
담뱃가게가 있고
모퉁이의 육곳간을 돌아 골목길로 들어서면
바로 관수동觀水洞 이십이번지
담도 판장도 없이
길이자 뜰이요, 뜰이자 방房인 집은
그 옛날
내가 순이와 외롭게 살던
외롭게 살며 「축제祝祭」를 쓰던 곳.
오늘 이 앞을 지나가며
나는 소식조차 모르는 순이를 생각한다.
서로 사랑은 하고
그러면서도 이루지 못하고 헤어져 버린
나와 순이와의 사랑을 생각한다.

순이와 내가 살던 저 집에
지금은 누가 사는 것일까,
밖으로 녹슨 자물쇠가 잠긴 채
조용한 것이 빈집 같아라.

## 광화문光化門 빌딩

그때와 조금도 다름없이
무슨 광업소鑛業所니 무슨 치과齒科니 하는
무수한 간판看板이 걸리어 있는
광화문光化門 빌딩

여기는 그 전날
나의 친구가 다니던 출판사出版社가 있던 곳,
이 앞을 지나갈 때마다 나는 그의 생각이 난다.

비가 오거나 눈이 오거나
점심밥도 못 가지고
생활生活 탓에 헤매던 그의 슬픔을 생각한다.

나는 그가 죽었다고 믿어지지 않는다.
지금도 어진 얼굴을 하고
저 빌딩 속에서 쑥 나올 것만 같다.

그와 나란히 앉아 바라보던 로터리의 분수噴水
분수噴水에 물은 없고

나뭇잎새만 서름인 양 쌓이었는데
세상世上은 바뀌고
사람 사는 것이 꿈과 같구나.

## 정동貞洞 골목

얼마나 우쭐대며 다녔었냐,
이 골목 정동貞洞길을.
해여진 교복校服을 입었지만
배움만이 나에겐 자랑이었다.

도서관圖書館 한 구석 침침한 속에서
온종일 글을 읽다
돌아오는 황혼黃昏이면
무수한 피아노 소리,
피아노 소리 분수噴水와 같이 눈부시더라.

그 무렵
나에겐 사랑하는 소녀少女 하나 없었건만
어딘가 내 아내 될 사람이 꼭 있을 것 같아
음악音樂 소리에 젖는 가슴 위에
희망은 보름달처럼 둥긋이 떠 올랐다.

그 후後 이십년二十年 전前
커어다란 노목老木이 서 있는 이 골목
고색 창연古色 蒼然 한 긴 기와담은

먼지 속에 예대로인데
지난 날의 소녀少女들은 어디로 갔을까,
오늘은 그 피아노 소리조차 들을 길 없구나.

## 폐 촌廢村

노인老人들만 남겨 놓고
모두 어디로 떠나갔느냐.
빈집 같이 허젓한 마을에
낮닭 목 길게 울고
삽살개는 들 건너 먼 산만 바라보고 있다.

봄이 되어 살구 꽃은 피어 났는가.
복사꽃은 피어 났는가.
스치는 들바람에 우수수 떨어지는
꽃잎새, 꽃잎새,
꽃잎새.

이윽고 여름이 와도
뻐꾹새 소쩍새 날아와 앉을
뒷동산엔 나무 하나 없고
바위 그늘 새빨간 진달래는
나의 이 서러운 마음인 양
차거운 산바람에 파르르 떨고 있다

아아 나를 키워 준
마을아,
그래도 저녁마다
목숨인 양 밥 짓는 연기
집집이 굴뚝에 실날같이 오르는가.

밤이면 등잔燈盞에 방房에 켜 놓고
모두들 다시 모여 살고 싶어 하는가.

## 등 불

열어제친 창 밖으로
어둠을 뚫고 소리쳐 가는 소리.
밤은 여울물처럼
어디로 흘러 흘러 저리 가는 것일까.

먼 산,
그리고 가까운 수풀에
소쩍새 꾹꾹새 부엉새 울고
간간이 으르렁거리는 것은
산 속에 사는 짐승들의 울음 소리.
아아 모두들 이 밤이 외로워
저렇게 울고 울고 하는 것일까.

캄캄한 밤
한 개의 등불을 켜 놓고
이 아늑한 불빛을 지킴이 행복스럽구나.
창을 넘어
밤은 밀려오고 밀려가나
나의 등불은 꺼지지 않을 게다.

깜빡깜빡 호젓한 것이나마
나는 내 곁에 놓고
한사코 지키며 살아가리라.

## 출 발出發

뻐꾹새 우는 산을 가리키며 소년은 산 너머 저쪽 먼 나라에 가보고 싶다고 몇 번이고 말했습니다. 그럴 때마다 어머니는 그의 머리를 쓰다듬어 주며 네가 어서 낫기만 하면…… 네가 어서 크기만 하면 가 보자고 가슴을 졸이며 어르는 것이었습니다.

하늘이 넓고 푸른 어느 날 소년은 아주 길을 떠나가 버리고 말았습니다. 그렇게 가고 싶어 하던 산 너머 저쪽 먼 나라로 소년은 갔을까요? 어머니가 넋 잃고 바라보는 산에서는 날마다 날마다 새갓 베는 나무꾼의 노랫가락만이 들리어 왔습니다.

*

—반 가返歌

산을 넘어가 볼까나,
산 너머 저쪽
조그만 마을 있어
가 버린 소년
오늘도 피리 불며
그 마을 살리.

# 귀 성歸省

장고長鼓 소리, 수심가愁心歌 소리에 날이 가고 밤이 새던 이 거리. 한때는 술에 계집에 놀음판이 여관旅館마다 꽃 피던 데다. 오늘 문득 맞아주는 이 하나 없는 고향故鄕 정거장停車場에 내리면 내가 어째 만리타향萬里他關에라도 온 듯 외롭구나.

철도鐵道길 건너서면 거기가 바로 온천장溫泉場. 코를 푹 찌르는 저 냄새, 유황硫黃냄새는 온천물이 풍기는 것이렷다. 수증기水蒸氣 안개같이 자욱한 속, 예나 다름없이 들려오는 귀익은 저 소리는 물탕을 하는 이들의 과남소리렷다.

내 소년少年이 자라고 또 청춘靑春이 피어오르던 호텔 부근附近. 넓은 광장廣場에 가을꽃들은 철 잊지 않고 피어났는데, 그 화려하던 온천溫泉호텔은 왜 보이지 않느냐. 불타 재 되어 버린 빈 터에 가꾸는 이 없이 잡초雜草 제멋대로 자라고……. 차마 서 있을 수 없어 발길 돌리려니 옛말 하자는 듯 화초석花草石 나를 잡네. 나를 잡고 놓지 않네.

밤은 얼마나 깊었는가. 창窓을 두드리는 소리. 바람이 이는가, 비가 오는가. 눈 감으면 가지가지 그 전일 새롭구나. 분녀粉女랬나 금녀今女랬나 이름조차 잊었으나, 얼굴이 희어 달 같던 색시. 여관旅館집 색시. 야삼경夜三更 주인 눈 가리고 이웃 눈 숨겨가며 어둠 타고 찾아오던 이. 아직도 그대로 여기 살고 있는가.

알아 봐 무엇하랴, 나는 나그네.
아무도 모르게 찾아왔다
내일來日은 다시 떠나려는 내 고향故鄕.

제2부

# 순아에의 연가戀歌

## 가 버린 날에 부치는 노래

풀밭은 촉촉이 이슬에 젖었더라.
풀밭은 벌레소리 가뜩하더라.
둘레둘레 아무리 둘러봐도
깊어가는 밤만이 어둡더라.

코를 푹 찌는 흙냄새,
풀향기, 꽃향기,
벌레소리에 이어 들리는 그윽한 속삭임…….

얼마든지 얼마든지 어루만지고 싶은 것,
달덩이 같은 내 사랑.
그것은 차라리 향취 짙은 남국의 열매.

서로 미칠 듯
맑은 입김 불며 찾을 때
기쁨에 겨워 밤이슬 우수수 떨어지고
먼 숲에는 꾹꾹새, 소쩍새,
부엉새 울음…….

우리의 즐거운 숨바꼭질
가버린 날의 남모르는 하나의 비밀을
오직 알고 있는 것은 하늘의 별과
사랑노래 엿듣던 풀밭의
풀벌레.

## 사 랑

서울 어느 뒷골목
번지 없는 주소住所엔들 어떠랴,
조그만 방이나 하나 얻고
순아 우리 단 둘이 사자,

숨바꼭질하던
어린 적 그때와 같이
아무도 모르게
꼬옹 꽁 숨어 산들 어떠랴,
순아 우리 단 둘이 사자.

단 한 사람
찾아 주는 이 없은들 어떠랴.
낮에는 햇빛이
밤에는 달빛이
가난한 우리 들창을 비춰 줄 게다.
순아 우리 단 둘이 사자.

깊은 산山 바위틈
둥지 속의 산비둘기처럼

나는 너를 믿고
너는 나를 의지하며
순아 우리 단 둘이 사자.

## 순아에게 주는 시詩

네가 나를 좋아하듯이
나도 너를 좋아한다고
너에게 하고 싶은 말이란
오직 이 말뿐.

믿고 싶어도
믿을 이는 없다.

우리가 이렇게 주고 받는
아무도 모르는
요 조고만 정만이
나와, 그리고 너의
살아 있는 기쁨의 전부일 게다.

내가 너를 믿듯이
너도 나를 믿어라.
그리하여 서로 부르며 찾는
넋과 넋—사랑이
거센 풍랑 속에서

어떻게 엉킬 것인가.
엉키어 얼마나 굳세게 살아 갈 것인가.
순아 어디 부딪쳐 보자.

## 시장市場에 가는 길

밤과 새벽이
교차交叉하는 거리에
먼, 그리고 가까운 전원田園에서
싱싱한 야채野菜를 싣고 오는
화물자동차貨物自動車.
마차馬車와 자전거自轉車.
무수한 지게꾼. 광주리 인 아낙네.
밤을 새가며 모두들 분주히
시장市場을 향向하여
열列을 지었다.

순아와 내가 의좋은 부부夫婦처럼
어깨를 나란히 하고
새벽공기 흐르는 속을 시장市場에 가면
여기 저기서 들리는 시골 사투리,
그 사투리 반갑고.
바람이 스칠 적마다 코에 풍기어
고향故鄕 그립게 하는
풀냄새, 흙냄새.

어느 노점露店 앞에 서서
푸성귀단을 뒤적이며 흥정하는 순아.
하이얀 옥양목 저고리
옥양목 치마에
흰 고무신을 신은 그의 뒷모습이
어쩌면 젊었을 적 어머니 같아
문득 내가 어린애 되어 기꺼워지면
팔고 사는 장터의 온갖 소음騷音마저
나는 날나리 소리처럼 즐겁더라.

아직 이슬 가시지 않은 새빨간 도마도,
향긋한 산나물 몇 단에
배추니 무니 파 같은 것 사들고
갈 때와 꼬옥 같이
우리가 나란히 돌아올 때
눈부신 태양太陽은 우리들의 머리 위에
테이프 같이 찬란한 것을 뿌리고
길 가는 사람마다
정 깊은 눈을 하고 바라보더라.

—용서 받지 못한 채
이렇게 숨어 사는 것을 슬퍼할 것은 없다.
우리를 기다리고 있는
사조四組반半의 조그만 다다미방은
셋방이나마 너와 나의 따뜻한 가정이 아니겠니,
순아.

## 산 골

순아의 숱 짙은 머리카락은
산골 시냇가
성할 대로 성한 글캉풀.
코를 대면 싱싱한
풀냄새가 풍긴다.

푸른 잔디밭에 나란히 앉아
순아가 말하는 그의 어린 적 이야기 속에는
노오란 호박꽃 같은
조그만 마을.

※

호박꽃 속에 있는
조그만 마을.
마을 앞으로 맑은 시냇물이 흐르고
흐르는 물에 물방아 시름없이 돌아가는데
아낙네들의 방추 소리 골짜기에 울린다,
뒷산 숲에서는 한종일
뻐꾹새가 울고…….

무너진 방앗간
돌각담 양지밭에
무명옷 입은 나 어린 처자.
처자의 모습이 순아를 닮아 예쁜데
예쁜 그 모습을 나는 어디서 본 것 같기만 하다.

앗! 그것은 바로 나의 순아다.

## 산山으로 가고 싶지?

순아 산山으로 가고 싶지?
깊은 산山에 묻혀 살고 싶지?

산짐승들과 함께 살고 싶지?
산짐승들처럼 그렇게 살고 싶지?

세상世上한테 잊히어 살고 싶지?
세상世上 같은 건 아주 잊고 싶지?

산새와 산토끼만이 벗이라도 외롭지 않겠지?
그들과 살며 그 무엇을 생각하고 싶지?

그렇게 살아도 외롭지 않겠지?
무서울 것 하나 없겠지?

세상이 우스울 것 같지?
인생人生이 가엾을 것 같지?

밤이면 부엉새도 울겠지?
달빛도 손님처럼 찾아 오겠지?

순아 진정 산山으로 가고 싶지?
깊은 산山에 묻히어 살고 싶지?

## 밤의 서정抒情

I

바람이 풍기는 후끈한 꽃냄새
후끈한 꽃냄새에 눈을 떠보니
언덕 위에 큼직한 달이 떠 있다.

밤 언덕 기어 올라 달그림자 아래 서면
거기 밤새는 옛정을 못 잊어
그칠줄 모르는 사랑만 속삭이고…….

II

멀리 어둠 속에 들리어 오는 것,
날 부르는 소리.
그것은 바위 틈으로 흐르는 옹달샘.

우거진 풀넝쿨 헤치며 헤치며
맑은 샘 가에 내려 서면
밤새는 또 나의 귀에 흐느껴 울더라,
달이 지도록…….

# 산개나리꽃

숲 속으로
숲 속으로 찾아 들어가면
낙엽에 쌓인 옹달샘이
아무도 모르게 바위 틈에서 흐르고…….

물 위에 뜬 낙엽
훅 훅 불며
목마른 입 가져다 대면
낙엽 냄새 풍기는
샘물은 단물.

산비둘기는
어디서 저리 우느뇨?
고개 들어 치어다 보는 눈에
산비둘기 보이지 않고……

졸음 조는 듯
고운 산개나리꽃
내 머리 위에서
방긋이 웃네.

## 네 눈속 그윽한 곳에

무수한 들꽃이 피어나고
물바람이 유달리 시원한 호숫가에 앉아
내가 너의 눈을 들여다 보노라면
나는 먼 나라에 와 있는 듯……
꿈을 꾸는 듯…….

너의 눈 속에 누울 수 있다면
물 위로 날으는 물새 소리 자장가로 들으며
나는 깨일 줄 모르는 잠이 자고 싶다.

너의 눈 속에 그윽한 곳에
순아 부디 나를 눕게 해 달라.
어두운 이 세상 어서 잊고
나는 너의 눈 속에 쉬고 싶다.

## 단 장短章

봄바람에 꽃송이 저버리어도
나무 잎새 가지마다 푸르르듯이
삼십三十 나이 순아의 정은 질을 대로 짙어
여름철 뜨거운 햇볕 아래 달리아로 피었어라.

제3부

# 산협석모山峽夕暮

## 춘 야春夜

창 가까이
여울 소리가……, 저기 봄이 걸어 온다.

ㅡ귀를 가만히 기울이라.

저, 버들가지에 물 오르는 소리가 들리지?
저, 풀잎새들의 고요한 숨소리가 들리지?

뒷산 소나무 잎새가
피리를 불고
밤은,
밤은 푸른 열매처럼 호젓한데……

어디선가 꽃수레 소리조차 들리는 것 같다.

## 만 추晩秋

봉우리와 봉우리
사이로 보이는 파아란 하늘에
구름이,
흰거위 같은 구름이 흐르고.

잣나무와 잣나무
사이로 보이는 깊은 산협山峽에
단풍丹楓이,
타는 듯 붉은 단풍丹楓이 고웁고.

줄을 이어
나란히 서 있는 가로수街路樹의
음영陰影이 짙은 신작로新作路를
장터로 끌려 가는
검은 도야지 도야지 도야지……

올해도 가을이어
너는 몰이꾼의 채찍 소리에 놀래 달아나는가.

# 장 터

부슬 부슬 비가 내린다.

비에 장도 깨졌다.

막걸리 냄새가 훅 코를 찌른다.

거리마다 주정꾼 투성이다.

여기 저기 싸움판이 벌어졌다.

새 장고 소리가 들린다.

노랫가락이 숨 막힌다.

여기서도 사람들은 술을 마시며
까마귀떼처럼 떠들고 있다.

# 거 리

거리에는
오가는 행인 하나 없고
개 하나 내닫지 않아 고교한 속에
무서운 밤이 왔다
집집마다 문을 굳게 닫은 거리.
커튼을 깊이 내리운
그 어느 유리창 안에서는
낡은 기둥 시계가 스물 두 시를 쳤다.
어디서 날아 오는 것일까,
어둠을 타고 퍼덕거리며
수 없이 날아드는
끔찍한 박쥐의 무리.
소년은 박쥐떼에 쫓기며 쫓기며
엄마를 찾아 헤매 다녔다.

## 동 야冬夜

밤마다 함박눈이 펑 펑 내리었다.

밤마다 뒷동산 고목枯木들이
서로 등을 비비적거리었다.

밤마다 질화롯 가에서 감자만 구워 먹으며 컸다.

밤마다 집 나가신 아버지가 보고 싶어 눈물짓곤 했다.

밤마다 강 건너 마을에
복사꽃 피기만 기다렸다.

## 산 협山峽

비 멎자 하늘은 장밋빛으로 저문다.
길 숲에서 가을벌레가 운다.

산비탈을 돌아 장에 갔던 노새가 돌아온다.
짤랑 짤랑 짤랑 짤랑……

아아 방울소리가 생활처럼 쓸쓸하구나.

노새가 가까이 오자
벌레들이 일제히 울음을 삼킨다.

조용한 속을

방울소리만이

호롱불처럼

마을을 향하여

벌어져 간다.

## 소 묘素描

앞서거니 뒤서거니
새들도 숲을 찾아 돌아가는 석양夕陽에
논길 밭길을 더듬어
어린 남매男妹가 분주히 가고 있다.

이윽고 해는 서西쪽 산山을 넘고
남매男妹는 동東쪽 언덕을 넘는다.

저 멀리
능금꽃 구름 피듯 희기만 한
과포밭 너머 조그만 마을엔
조그만 교회당敎會堂의 나무로 만든 십자가十字架가
황금색黃金色으로 빛난다.

이 때 하늘 한 복판에서 나는 듯
종소리가 들린다.

남매男妹는 가던 걸음을 멈추고 서서
두 손을 모은다.

고개를 숙인다.

밀려오는 파도波濤 소리처럼
퍼져 나가는 종소리 속에

밀려가는 파도波濤 소리처럼
사라져 가는 석양夕陽 볕 속에

어린 것들의 두 줄 긴 그림자만이
끝없이 걸어가고 있다.

## 춘 몽春夢

흐르는 물을 따라
떠내려 오는 무수한 꽃송이, 꽃송이.
산골길은 여울을 끼고
숲 속으로 숲 속으로만 돌아 올라가고
곱고 작은 꽃들이
좌우 길섶에 먼 데까지 피어 있다.

아름드리 소나무와 소나무 사이로 번듯거리는 것은
대낮의 호수湖水.

조고만 마을이 그 호수湖水에 거꾸로 비춰 있다.

오늘은 무슨 제사祭祀라도 있는 것일까,
바람결에 들려 오는
새납소리.
둥 둥 울리는 북소리.
전설傳說 같은 노랫소리.

벌거벗은 소년少年은 푸른 잔디를 밟고
줄달음질치며 뛰어 갔다,
마을이 있는 곳을 향하여…….

## 기 도祈禱

노을이 백화白樺나무 수풀을 물들여 놓자
검은 밤은 산山을 넘어
이슥고 산장山莊을 찾아 온다.

소녀少女는 램프등에 불을 켠다.
등불 밑에서 소녀少女가 읽는 책은
R. M. 릴케의 기도서祈禱書.

그는 문득 기도祈禱가 드리고 싶어진다.

아베 마리아
모란이 뚝 뚝 떨어져 쌓이듯이
내 마음에 아름다운 이야기가 쌓이게 해 주소서.

아—멘.

## 항 구港口

바닷소리가 들리는 언덕에
갈잎은 외롭다
외로운 갈잎처럼.

바람은 자고
별은 숨고.

하늘에는 달이,
달에는 항구港口의 등불이 비쳐 있다.

제4부

# 천향시초泉鄕詩抄

## 온천溫泉이 있는 거리

유황硫黃냄새 훅훅 끼치는 따슷한 샘이 솟는 거리
밤에는 안개가 비오듯 내려
산山, 들 할 것 없이 안개에 싸여 자욱한 속에
여관旅館으로 불려 가는 창기唱妓들 소리.
창기唱妓를 나르는 인력거人力車 나발소리.

밤이 깊도록 새도록
아아 장고長鼓소리.
수심가愁心歌 소리.
……나는 통 잠이 오지 않는다.

## 온천溫泉호텔

바람이 불면
바다로 가는 배처럼 흔들린다.

H항港으로 간다는
장난감 같은 조그만 기차汽車가
호텔 문門 앞을 뉘염뉘염 지나다니고

여기는
어디나 더운 샘이 솟고
가는 곳마다 유황硫黃냄새 천지다.

## 춘 일春日

나비가
쟁비나무 울타리를 넘어
자꾸 날아온다.

바다가 바라다 보인다는
산山, 그 아래 마을에는
지금 복사꽃 피어 한창인데……

소녀少女는 뜻 모를 서글픔을 씹으며 씹으며
홀로 해먹만 흔들고 있다.

## Bath Room

거울 속에라도 뛰어 든 것 같다.

드높은 천정天井의 고풍古風한 남포가 좋다.
더운 물을 토하는 돌사자獅子가 좋다.

꽃다발을 깐 듯
화려한 타일—

거기 따슷한 볕은 스며 들고
거기 따슷한 물은 넘쳐 흐르고

좋은 아침은
내가 퍼엉 펑 퍼내는 물에 씻겨 흐른다.

## 들 바 람

연못 둔덕
햇볕 따슷한 잔디밭에 앉아
소녀少女와 내가 독서讀書를 하노라면
어디선가
들바람이 뛰어들어
남의 책冊을 제멋대로 읽으려 든다,
책장을 마구 헤치며…….

들바람은
장난꾸러기 나의
동생.

## 온천溫泉 가는 길

노을이 장밋빛으로 물들자
동창東窓마다 장밋빛이 되어 버린다.
문득 바라보는
앞에 앉은 소녀少女의 얼굴도 장밋빛이다.
-장난감 같은 조그만 경편차輕便車는
이런 장밋빛 풍경風景 속을
담배를 피우며 어슬렁 어슬렁
산골 온천溫泉을 찾아 걸어가고 있다.

## 저녁 하늘

창窓을 여는 얼굴에
분수噴水가 물을 끼얹는다.

프랑스풍風의 정원庭園 저 멀리
바다와 같은 저녁하늘.

그 하늘로 별이 흩어진다…….

# 황 혼黃昏

이슬이 비오듯 내리는데
비오듯 내리는 이슬에 젖어
고요한 황혼黃昏의
황혼黃昏의 어둠 속에 피어 있는 코스모스.
그 꽃을 꺾으며 꺾으며
벌레소리,
요란스런 벌레소리 함부로 밟고 가면
외로움 가슴에 차고
먼 하늘엔 작은 별 하나.

## 해바라기

방갈로풍風의 발코니—
거기 장미꽃 피부皮膚를 가진 소녀少女는
암 채어에 누운 채
잠이 들었다.

창窓너머로
노오란 해바라기란 놈이
고개를 기웃거려
들여다보고…….

# 온 실溫室

유리琉璃로 지은 집입니다.
창들이 하늘로 열린 집입니다.
집은 연못 가 딸기밭 속에 있습니다.
거기엔 꽃의 가족家族들이 살고 있습니다.

지평선地平線 너머로 해가 기울고
밤이 저 들을 건너 걸어 올 때면
집 안에는 빨간 등불이 켜지고
꽃들이 모두 모여 앉아 저녁 식사를 합니다.

자, 이리로 오시오.
좋은 음식 냄새가 풍기지요?

꽃들이 지금 저녁 식사를 하고 있습니다.

저, 접시에 부딪치는 포크며 나이프 소리……

저, 무슨 술냄새 같은 것이 나지요?

이리로 좀더 가까이 와 보시오.
보기에도 부럽게 즐거운 가족家族들입니다.
그리고 저 의상衣裳들이 어쩌면 저렇게 곱습니까?
식사가 끝나면
의례 꽃들은 춤을 춥니다
조금만 여기에서 기다려 주시오.
이윽고 우리는 아름다운 음악音樂을 들으며
이 세상世上에서 보기 드문 호화로운 무도舞蹈를 구경할 것입니다.

# 대 낮

새파란 초여름을
분수噴水처럼 뿜어 올리는
프라탄의 어린 잎새들—

태양太陽은
정원庭園에 내려와
뜨개질 하기에 여념이 없다.

## 석 양夕陽

창窓 가까이 등의자藤椅子를 놓고
소녀少女와 내가 마주 앉는 석양夕陽이면
안뜰에 명랑한 소낙비가 오고
소낙비가 왔다 간 뒤에는
엷은 구름들이 내려와 놀다 간다.

제5부

# 별의 전설傳說

## 별의 전설傳說

폭풍暴風이 우주宇宙를 휩쓸고
눈보라가 온 하늘을 덮던 무서운 밤에도
한사코 그 넋을 지키려는 별들이
캄캄한 어둠 속에 숨어 숨쉬고 있은 것을 아니?

그리하여 폭풍暴風이 지나가고
눈보라마저 그친 조용한 밤이 오자
다시 그 별들이 웃음지며 반짝이기 시작한 것을 아니?

그 때
사람들 놀랜 눈을 하고
푸른 밤하늘을 치어다보며
가 버린 그 밤의 기억記憶을
전설傳說과 같이
전설傳說과 같이 이야기하였느니라,
별의 찬란한 빛에 온 몸을 적시며…….

## 정 야靜夜

이슬에 젖어
이슬 내린 풀잎을 밟고 가노라면
우거진 수풀 속에
무슨 슬픈 이야기라도 있을 듯한 조그만 집이 한 채.

등불 켜지 않아 캄캄한 속에
달빛에 부서지는 파도처럼
유리창琉璃窓만이 번쩍거리는 저 낡은 집엔
어느 외로운 이가
세상을 버리고, 세상한테 잊히어
홀로 살고 있는 것일까.

나는 울타리 가에 숨어 뜰안을 들여다 본다.
달빛 속에 꽃향기가 그윽히 풍긴다.
꽃향기 속에 여인女人인 양 싶은 이의 한숨 소리가 들린다.

—그것은 바람도 없이
꽃잎만이 낙엽처럼 우수수 지던 날 밤이었다.

## 바람이 지나간다

「행복幸福」이라고 부를 수 있는 가버린 추억追憶을
나는 지금 가슴 속에 태우고 있다,
쓸어 모은 가랑잎에
불을 사르듯이―.

서로 사랑했기에 즐거웠고
즐거웠기에 못내 잊혀지는 이 추억追憶.
그러나 그는 이미 가 버린 사람,
나는 이를 악물고 잊어야 한다.

불타오르는 연기煙氣 속에
내가 좋아하던 온갖 모습을 하고
그가 나를 바라본다. 나를 보며 웃으며 울고 있다.

나는 타오르는 그 불 가에
석상石像과 같이 서서 아무 말이 없다.

……바람이 지나간다,
강江물과 같이.
세월歲月과 같이.

## 글자의 행렬行列

유달리 동글기만 한 글자들
이 글자들이 줄을 이어 걸어 가고 있다,
눈 덮인 광야曠野 같은 종잇장 위로…….

가슴 속에 새빨간 장미薔薇와
학鶴 같은 슬픔을 지니고
글자들은 그 무엇을 찾아 고행苦行한다.

태양太陽마저 구름에 가리어 어두운
눈보라 치듯 조소嘲笑만이 휘몰아 오는 속을
그래도 간다고, 가야 한다고
고달피 걸어 가고 있는
글자의 행렬行列이여!
순례자巡禮者들이여!

너희들 호롱불 하나
어엿한 깃발 하나 없이
어디로, 그리고
언제까지 이렇게 가야 하느냐.

## 여 심旅心

바람이 분다. 이슬비가 내린다.
안개 같은 것이 거리로 자욱히 흐른다.

네모 진 창窓 가
나무 의자椅子에 기대 앉아
나는 오가는 이 없는 거리를 내어다 보고 있다.
나는 캄캄하다.

열린 창窓 틈으로 바람이－바람에 이슬비가 들여 친다.
들여 치는 비에 내가 젖는다.
젖는 줄 모르게 내가 젖고 있다.

나는 여기서 누굴 기다리는 것일까?

내가 이렇게 기다리는 것은 누구일까?

손 없어 텅 빈 다방
다방은 뿌리는 빗바람에 기선汽船처럼 흔들리고
나는 자꾸 어디로 가고만 싶어진다.

—그래 이제 나는 여기를 떠나가자,
떠나가자, 가을이 되기 전…….

# Tea-Room Rainbow

거리에
거리 건너 지붕과 지붕 위에
폭포瀑布처럼 요란스런 비가 퍼붓는다.
티룸 · 레인보의 초라한 이 건물建物이 흔들린다.
흔들흔들 흔들거리며
어디론지 떠나가는 것 같다.

창窓 밖을 내어다 보면
거리가 부풀어 올라오는 것 같다.
거리 저쪽에 수평水平이 보이는 것 같다.
거리가 바다로 변하는가.
아니, 거리에 바닷물이 밀려드는가.
두 눈 감으면
바다의 물 조수潮水물 소리가 들린다.
조수潮水물 소리에 섞이어
폭풍暴風 소리가…… 울부짖는 물새들 소리가 들린다.

자꾸 흔들리는 티룸 · 레인보!
이제 뜨는가, 아주 떠나가는가.

흔들흔들…… 아니다, 떠나가는 것 같지는 않다.
침몰沈沒하는 것일까.
침몰沈沒하는 것 같다. 자꾸 침몰沈沒하는 것 같다.
천길 만길 바닥 모를 심연深淵으로
이제 티룸 · 레인보가 하는가 보다.
아아 차라리 침몰沈沒하여라! 침몰沈沒하여라! 나와 함께
티룸 · 레인보!

## 애 가哀歌

가로수街路樹 잎새가
저녁 바람에 붕어새끼처럼 파닥거리는
도시都市의, 도시都市의 모든 알맞은 장소場所에
정 담은 청춘靑春들의 기다림과 속삭임이 있다.

기다리는 이 하나 나에겐 없다.
기다려 줄 이 하나 나에겐 없다.

함께 살자고
못살 양이면 함께 죽자던 이들의 모습이,
음성이, 눈물이, 한숨이, 체온體溫이, 냄새가…….
아아 입술이—나를 괴롭힌다.

기다려 줄 이 하나 나에겐 없다.
기다리는 이 하나 나에겐 없다.

정 담은 청춘靑春들의 기다림과 속삭임이 있는
도시都市의, 도시都市의 모든 알맞은 장소場所여.
저녁 바람에 붕어새끼처럼 파닥거리는
아아 가로수街路樹 잎새여.

## 등하저음燈下低吟

등燈불 아래 펼쳐놓은 책장冊張 위에
한 마리의 작은 벌레를 본다,
무슨 바쁜 일이라도 있는 듯
연신 몸을 꿈틀거리며 가는…….

'대체 저 것은 누굴 찾아 가는 것일까?'
'저 것이 가는 곳은 어디일까?'

나는 생각한다, 두 페이지 밖에 아니 되는 이 책장冊張이
얼마나 저 미물微物에게 넓은 사막砂漠일까 하고.

밤이 지새도록 가도 끝은 없으리라.
푸른 산山 푸른 들 하나 보이지 않으리라.

절름발이처럼 절름거리며 가는 벌레를 보며
남몰래 서글픔을 씹는 밤이 나에게 있다.

# 병실病室에서

—K를 위하여—

당신과 나는 한갓 환자患者외다,
고착孤獨을 앓는…….

물소리도 새소리도 들리지 않는
인생人生은 얼마나 쓸쓸한 병실病室입니까?

애여 친구라 생각하고 싶지 않습니다.
더더구나 연인戀人끼리는 아니지요.

길 가다 지치어 입원入院하게 된
그렇지요, 우리는 외로운 행인行人.

그저 서로 맞바라 보고 웃음을 지웁시다.
그저 서로 맞바라 보고 눈물을 흘립시다.

## 내가 눈 감기 전에

— C. L에게 —

짙은 가로수街路樹 그늘을 나란히 가며
흘깃 바라보며 눈 흘기던
그 자태, 그 모습인들
어떻게 잊으랴, 내가 눈감기 전에…….

찻잔茶盞을 가운데 놓고
아무렇지 않은 듯 쳐다 보던
그 눈매, 그 미소微笑인들
어떻게 잊으랴, 내가 눈 감기 전에…….

별빛 어린 뒷골목길에서
서로 얼싸 안고 남몰래 입맞추던
그 입술, 그 더운 입김인들
어떻게 잊으랴, 내가 눈 감기 전에…….

# 기억記憶의 들길에서

기억記憶의 들길에서 너의 휘파람이……
너의 휘파람이 나를 부른다.
부르는 너는 내 곁에 떠나간 사람,
나는 여기 돌층계에 앉아 분수噴水나 바라 보자.

—허, 약속約束이란 허무하이그려!

네가 거주居住하던 내 가슴에 낙엽落葉이 진다. 이 낙엽落葉이 쌓인다.

—허, 약속約束이란 참 허무하이그려!

제6부

# 일기초日記抄

# 밤이 깊어지면

밤이 깊어지면
올빼미처럼 잠을 못 이룬다.

풀냄새 풍기는 고요 속에서
풀냄새 같은 시詩가 나오는 것은
으레 이런 밤이었다.

## 등불을 끄면

등불을 끄면
창窓이 바로 그림틀이 된다,
무수한 별을 그린 풍경화風景畵의.
가끔 나는 이 풍경화風景畵를 바라보며
별같이 멀고 고운 널 생각하곤 한다,
나무로 만든 의자椅子 위에 걸터 앉아.

## 상처 입은 산짐승처럼

상처 입은 산짐승처럼 외친다고
누가 그것을 들어 주랴.
누가 그것을 알아주랴.

여기 마른 잔디를 깔고 앉아
멀기만 한 저 푸른 하늘이나 바라보자.

## 아무도 사랑할 줄 모르고

아무도 사랑할 줄 모르고
어린 고아孤兒처럼 떨고만 살아 왔다.
귀를 기울일 적마다
무엇인가 속삭이는 소리가 들린다.

아— 이제사 새날이
새날이 저 어둠 속으로 오는 것일까.

## 네 사진寫眞을 앞에 놓고

네 사진寫眞을 앞에 놓고
웃는 네 얼굴을 바라보고 있으면
어디선가 꽃냄새가 풍겨 온다.

귀뚜라미 소리가
성가대聖歌隊의 합창合唱처럼 그렇게 들린다.

그리고
날 찾아 네가 올 것만 같다.
꼭 올 것만 같다.

그러기에 당나귀처럼 내가
자꾸 바깥소리에 귀를 쫑긋거리는 것이다.

## 이름 석자

새벽녘
열어 제친 유리창琉璃窓으로
먼 재를 넘는 달빛이 드는 속에서
기다리다 못해
편지를 쓴다, 그 전날
내가 너에게 하였듯이…….

네 얼굴같이
차고 희어만 보이는 각봉투角封套여!
주소住所도 뭣도 없이
오직 뚜렷해 보이는 이름이여

어쩌믄 네 이름 석자가
먼 하늘 별처럼 이렇게
이렇게 그립고 아득하냐!

## 나날이 멀어만 보이는

나날이 멀어만 보이는
산山이여 마을이여

갈바람은 깊은 골짝을 더듬어
어디론지 먼 길을 떠나려 하는데

강江 건너 사는 나의 사람
그도 나처럼 저 바람 소리를 듣고 있을까.

이윽고 그와 나는 만나리라, 꿈나라에서…….
그리고 저 바람 소리를 들으리라.

우리는 서로 부둥켜 안고 눈물 지리라,
하늘의 별처럼 갈꽃이 핀 그 어느 들판에서…….

## 널따란 유리창琉璃窓 속으로

널따란 유리창琉璃窓 속으로
사랑과 같이 따슷한 아침 볕이 쏟아져 들어 온다.
시클라멘의 화분花盆 곁에 서면
역시 사랑과 같은 꽃향기가 난다.

이 아침 나는 시詩 같은 편지가 쓰고 싶다.
편지 같은 시詩가 쓰고 싶다.

## 내 마음 호젓한 한 구석에

밤이면
낡은 우물 속에 별빛이 비치듯
내 마음 호젓한 한 구석에 네가 깃든다.

하건만 너는 참새떼처럼 가고
귓가에서 속삭이던 그 얘기만이 새롭다.

## 오늘은 일요일日曜日

이렇게 나홀로 앉아 있으면
퍼어런 광야曠野를 뒤로 지고 가는 네 모양이 떠오른다.

너는 어디로 가는 것일까?

나와 함께 있게 해 달라!
―오늘은 일요일日曜日, 나는 너하고 있고 싶다.

## 내 맘이 서러워

내 맘이 서러워
달까지 누리를 가리고 나오지 않는가?

바람도 불지 않는데
푸른 열매는 자꾸 숲속에 떨어지고

밤이 지새도록 나에겐 잠이 없다.

## 표목標木처럼

불을 끄면
캄캄한 어둠 속에
환히 나타나는 네 모습—
나의 귓가엔 너의 한숨 소리만 들려 오는데
나는 어둠에 휩쓸려
누구를 부를 수조차 없다.

이윽고 나는 표목標木처럼 쓰러지리라.
쓰러져 표목標木처럼 썩어가는 내 육체肉體를 느끼리라.

## 몇 번이나

몇 번이나 네 사진을 바라보면서
풀 길 없는 이 심정을 호소했던가.
무슨 네 말이라도 있을까 싶어……
무슨 네 맘이라도 알아볼까 싶어……

아무리 소리쳐 불러 봐도
네 얼굴이 그대로 웃고 있을 뿐.
열어 제친 창으로 밤바람만이
네 냄새 같은 꽃향기를 풍기고 갈 뿐.

# 눈을 감아도

눈을 감아도
귀를 틀어 막아도
나는 느낀다. 나는 느낀다, 너의 순정純情을.

그 날의 너를 어찌 잊으랴,
내가 이렇게 살아 있고야—.

제7부

# 물 방 울(동시초童詩抄)

## 물 방 울

소나기 지나가고
먼 하늘이 동트듯 환해지자,
지붕 추녀를 타고 내려오는 빗물이
마당에 조그만 여울을 만든다.
그러면 그 여울 위엔
수없이 많은 물방울이 생겨
흐르는 물을 따라
앞서거니 뒤서거니 경주하듯
떠내려간다.

물방울은 우리의
귀여운 어린이.

## 그 림 자

어린 동생을 데리고 집을 보는 밤에는
두 손을 호롱불가에 대어
벽에 그림자들을 만들며 놀지요.

—여우가 나와 꺵꺵 울기도 하고
—토끼가 깡충깡충 뛰어 달아나기도 하고
—늑대만한 개가 멍멍 짖기도 합니다.

그러면 동생은 좋다고
고 고사리 같은 손으로 손벽을 치며
깔깔거리며 웃어대지요.

어린 동생을 데리고 집을 보는 밤에는
두 손을 호롱불가에 대어
벽에 그림자들을 만들며 놀지요.

## 감 자

할머니가 보내셨구나,
이 많은 감자를.
야, 참 알이 굵기도 하다.
아버지 주먹만이나 하구나.

올 같은 가뭄에
어쩌면 이런 감자가 됐을까?
할머니는 무슨 재주일까?

화롯불에 감자를 구우면
할머니 냄새가 나는 것 같다.
이 저녁 할머니는 무엇을 하고 계실까?
머리털이 허이언
우리 할머니.

할머니가 보내 주신 감자는
구워도 먹고 쪄도 먹고
간장에 조려
두고 두고 밥반찬으로 하기도 했다.

## 토 끼

석유 상자 하나가
토끼에겐 천국인가 봐.

널따란 푸른 들과
새들 노래하는 저 수풀, 그리고
끝없는 하늘을
아무리 얘기해 들려 줘도
모르는 척

언제나 그 큰 귀를
쫑긋거리며
두 발을 앞으로 모으고
날 치어다보는
토끼야.

토끼야 그 석류알 같은 네 눈에
내가 무엇으로 보이는지
말해 보렴.

# 귀뚜라미

별이 우박 쏟아지듯 하는 가을 밤을
뜰에서 부엌에서 마루 밑에서
수없이 많은 귀뚜라미가 울고 있다.

그칠 줄 모르고 우는 저 귀뚜라미는
대체 즐거운 것일까,
슬픈 것일까.

소낙비 소리처럼
귀뚜라미 요란스러이 우는 밤.
등잔가 어머니의 머리털이
하나 둘 셋,
자꾸 희어만 간다.

## 소 쩍 새

소쩍새들이 운다.
소쩍소쩍 솥이 적다고
뒷산에서도
앞산에서도
소쩍새들이 울고 있다.

소쩍새가
저렇게 많이 나오는 해는
풍년이 든다고
벼 풍년이 든다고
어머니가 나에게 일러 주시는 그 사이에도
소쩍소쩍 솥이 적다고
소쩍새들은 목이 닳도록 울어댄다.

밤이 깊도록 울어댄다.

아! 마을은
소쩍새 투성이다.

## 눈 내리는 날

산비탈 조그만 마을에 눈이 내린다

눈은 마을 앞 너른 들판에 내린다.

눈은 들판 건너 먼 산 위에 내린다.

끝없이 뻗은 한 줄 철로길 위에

눈은 내린다. 펑펑 내리어 쌓인다.

하늘에 닿은 것 같은 철로길로

소년이 걸어 가고 있다,
왕자처럼 우쭐거리며…….

## 닭 장

아침에 엄마가 닭을 팔러
장으로 가시었다.
문간에 서서
나는 어머니를 배웅했다,
언제까지나…….

닭장 속에서
메 찾는 닭소리가 나는 것 같기만 해
부리나케 뛰어가니
참새란 놈들이 포르르
날아 가더라.

—쓸쓸한 닭장 속엔
봄별만이
봄별만이 다가들고…….

## 돌아가는 길

동무를 태운 기차가 산모퉁이를 돌아
사라져 갔다.

아아 가 버렸구나!

바다같이 넓고 푸른 하늘에 구름이,
구름 같은 기차연기 떠 있고
그것을 바라보는 소년의 눈에 함쑥 이슬이 고인다.

'하나 둘 모두 떠나 가고
이 산골에 나만 홀로 남아……'

이윽고 두 볼을 눈물로 적시며
소년은 묵묵히 돌아간다.
돌아가는 소년의 머리 위로
들까마귀가 우짖으며 날아간다.

—늦은 가을이었다.

# 가을 들판에서

기차가 누우런 들판을 달린다.
나는 안다, 저 기차가 어디로 가는지를.
저 기차는 북으로 가는 기차다.
내가 살던 고향으로 가는 기차다.
아아 가고 싶고나!
고향은 어찌 되었을까?
고향은 옛 모습 그대로일까?

기차가 산기슭을 돌아간다.
요란스레 기적을 울리며 돌아간다.
창 밖으로 아이가 하나
고개를 내밀고 손을 흔든다.
저 애는 누구일까?
저 애도 고향이 그리워 가는 것일까?
에이, 너는 좋겠다, 나도 갔으면.

기차가 산 뒤로 꽁지를 감췄다.
기차는 아주 보이지 않는다.
검은 연기만 아직 공중에 남아 있다.

멀리 산 너머서 기적이 운다.
문득 가슴이 메어 터질 것 같아진다.
눈물이 난다.

## 엄마 눈동자

작은 소나무들이
나란히 서 있는 산골에는
맑은 호수가 하나.
가만히 들여다 보면
거기 내 얼굴이 비쳐 있다.
귀를 기울이면
어디선가 산꿩 소리
산사슴이 우는 소리가 들리어 온다.

## 동 백 꽃

뒤란에
동백꽃이 피어
푸른 나무 잎새 사이 사이로
피같이 새빨간 것이
햇볕에 고웁다.

이 꽃은 지난 날
이제는 없는
누나가 심은 것.

나는 눈물 속에 그려 본다.
꽃잎새 뚝 뚝 떨어지는 소리
머리맡까지 들리던
봄날의 그 밤을…….

아아 누나는 그 이튿날
아주 이 세상을 떠나갔었지.

땅에 떨어져 있는
동백꽃 속엔

그리운 누나 넋이
아직도 숨쉬고 있는 것 같어…….

## 산 골

그 많던 뻐꾹새들은
어디로 갔을까요?
물 들어 누우런 저 산에
오늘은 그 새들 소리 아니나고
밤 따는 소리
도토리 따는 소리만
한종일 처르릉 처르릉
이 산골에 들려 옵니다.

## 언덕에 올라

나 홀로 언덕에 올라 바다를 바라본다,
누나가 그리워
가 버린 누나가 그리워.

바다엔 구름만 뭉게뭉게
누나 살던 그 섬
구름에 가리어
오늘따라 보이지 않는다.

누가 부르는 노래일까?
누나가 즐겨 부르던 저 노래.

가만히 듣고 있노라니
어여쁜 누나 모습
생시인 양 눈 앞에
떠오른다.

오오 누나!

어느덧
먼 등대엔
새빨간 불이 켜지고
밤은 별들을 뿌리며 뿌리며
저 바다를 건너오고 있다.

# 잠자리

푸른 잔디를 베고 누워
하늘을 바라본다.
끝없이 드높은
가을 하늘은
파아란 것이
호수 같다.

새빨간 잠자리들이
하늘로 헤엄쳐 다닌다.
나타났다가는
하늘 속 깊이
물 속 같은 하늘 속 깊이
사라지곤 한다.

사라졌다가는
휘휘 나타나고.
나타났다가는 다시
하늘의 푸르름 속으로
사라진다.

앗! 푸른 하늘이
숨을 쉬는 것일까?
잠자리를 빨아 들이기도 하고
내뱉기도 하고!

## 햇님과 병아리와 참새란 놈

어느 산골
농사꾼 집
닭의 장문을
열어 제친 건
얼굴이 둥근
저기 저
아침 햇님.

그 때까지
엄마 품에서
콜콜 자고 있던
병아리란 놈들.
문 여는 바람에
기급을 해
졸린 눈을 뜨고
마당으로 와르르.

와르르 마당으로
뛰어 나와서
무어라고

종알종알
종알거려요.

우물 가 버드나무
가지 위에서
이 꼴을 보고 있던 건
눈알이 올롱한
저기 저
참새란 놈들.

우습다고
재미 있다고
짝자글 짝자글
손벽을 치며
이 나뭇가지에서
저 나뭇가지로
뛰어다니며
쫄랑쫄랑.

무엇이 우습냐고
종알종알
병아리란 놈들이
대들어도
오호 우습다고
짝자글 짝자글
참새란 놈들은
더 날뛰지요.

어느덧 산 산마루에
올라와 앉아
내려다 보는 햇님은
그 꼴이 귀엽다고
점잖이 벙글벙글.

온종일 벙글벙글.

張 萬 榮

第五詩集

# 『저녁 종소리』

서정소곡抒情小曲

正陽社・刊

# 저녁 종소리

AN ANGELUS

*Sonnet by*

*Chang Man Young*

1957년

正 陽 社

쳐다 보는 하늘 높이

저녁 종소리 은은히 들린다.

쳐다 보는 나뭇가지 위

새는 슬피 노래한다.

— 베를렌(1884~1896년)의 <하늘은 지붕 저쪽에서>

제1부

# 저녁 종소리

# 커다란 하늘 아래로

커다란 하늘 아래로 나오시오.
밤이라 캄캄하고 어둡기는 하지만
반짝이는 무수한 별들이 내려다 보고
그 무엇을 속삭이며 웃고 있지 않습니까?

커다란 하늘 아래로 나오시오.
먼 숲들이 손짓을 하고
숲 속엔 통나무 벤치가 저렇게
그대 오시길 기다리고 있지 않습니까?

거기 앉아 오래도록 기도를 드려 보셔요.
진정 호소해 보셔요. 눈물을 흘려 보셔요.
안개에 싸인 그대 계신 방이
너무 좁고 슬프지 않습니까?

## 방 문訪問

녹색 저고리
새빨간 치마를 입고 나오시니
어쩌면 내가
춘향을 찾아간 이도령 같아
그대 거문고 줄을 골라
뚱뚱 뚱 한 곡조 뜯으실 양이면
내 서투른 춤이나마
팔 벌려 추겠노라 하였더니
임은 살포시 일어나
대청으로 나아가
쇼팽의 피아노 협주곡을 틀어 놓고
방긋이 웃으시며
돌아와 앉으시는도다.

## 조각달

황혼이 종로 거리에 깃들 무렵이면
외로운 조각달이
드높은 빌딩과 빌딩 사이
쇼팽의 피아노 소리가 들려 오는
조그만 다방으로
차를 마시러 온다는 이야기를
그대는 잊지 않고 기억하시겠지요?
그것은 월요일 저녁 여섯시랍니다.

## 선물과 함께

알프스 산맥이 멀리 보이는 스위스에서
짙푸른 대서양을 건너
태평양을 건너
그대 팔목에 채이고자 왔습니다,
요 동그란 팔뚝 시계는.

귀를 가져다 대 보셔요.
저 리드미컬한 소리가 들리지요?
저 나직한 소리가?

쉴 틈 없이 들리는 그 소리는
쉴 틈 없이 그대를 찾는
애끓는 내 마음의 고동입니다.

임이여 시간을 보실 때마다
서울 거리 어느 한 구석에서
시간마다 그대를 안타까이 그리는
내가 있음을 잊지 말아 주셔요.

혹시 잠 못 이루는 괴론 밤이 계시거던
요것을 머리맡에 갖다 놓으시고
가만히 두 눈을 감아 보셔요.
그러면 시계는 나 대신 그대에게
자장가를 고요히 불러 드릴 것입니다.

## 촛불 아래서

촛불 아래
사랑해서는 안될 그리운 임께
한숨 섞인 편지를 쓰는 밤

창을 두드리는 소리
혹시나 그인가 하여 혹시나 그인가 하여
가슴이 방망이질을 합니다.

그러나 그것은
짓궂은 겨울 바람,
공연히 날 희롱하고 달아나요.

—반가反歌

## 임 그리는 마음

누구인가 찾고 있습니다.
창문을 열어 제칩니다.

캄캄한 어둠뿐입니다.
아무도 없습니다.

누구인가 보고 있습니다.
불러 봅니다.

지나가는 바람뿐입니다.
아무도 없습니다.

누구인가 분명히 서 있습니다.
밖으로 나가 봅니다.

총총한 별빛뿐입니다.
아무도 없습니다.

## 밀 회密會

그는 저 골목 길

나는 이 골목 길

남 몰래 돌아서

또 다시 잡는 손.

# 저녁 종소리

I

먼지 낀 채 내버려 두었던 마음
이제 그 고운 손으로 닦아 주시니
다시 반짝이기 시작합니다.
보셔요, 얼마나 환합니까.

II

그대를 만나면 폭풍이
나를 덮칠 때같이 떨립니다.
번개질 하는 속에
기쁨의 눈물비도 쏟아지고…….

III

그대는 나의 꽃,
외로움에 떨며 그리던…….
그대는 나의 숲,
산 너머 저쪽 가 본 적 없는…….

IV

나는 그리 슬프지 않습니다.
자정이 넘도록 이렇게 앉았서도.
그대 또한 날 생각하며
강 건너 계실 줄 믿사옵기.

V

불현듯 일어나 창 가에 서면
드 높은 밤 하늘에
달이 홀로 떠 있더이다,
울고 싶어진다는 그 달이…….

VI

향긋한 꽃 내음이 풍기었지요.
돌돌돌 냇물 소리가 들렸지요.
산새가 울고 있었지요, 밤 깊도록.
한숨 소리가 들렸지요, 밤 새도록.

Ⅶ

나는 뚜렷이 그릴 수가 있습니다,
캄캄한 어둠 속에서도.
웃고 있는 그대, 울고 있는 그대,
촌색씨같이 수줍은 표정을.

Ⅷ

바우와 같이 우뚝 선채
그대 곁을 떠나려 하지 않는 사나이,
그가 누구일까요? 그가 누구일까요?
어디 알아맞혀 보시압.

Ⅸ

차창에 기대 앉아 그대를 그립니다,
사 주신 드로프스를 입에 넣고…….
그대 입술 같이 동그랗고 빨간 것,
그러나 입술만큼은 달지 않군요.

Ⅹ

웃음 띤 얼굴이 날 바라보시면
무슨 일 저지른 어린애처럼
나는 꿇어 앉아 빌고 싶어집니다,
울고 싶어집니다, 그대 앞에서.

Ⅺ

얼음덩이같이 차기만 하던 저 비가
이 밤따라 어이 이리 따뜻할까요.
내의 속까지 촉촉이 스며 들어도
마음이 그저 화끈 달기만 하는군요.

Ⅻ

그대 그리는 마음이 흐릅니다, 강물처럼
흐릅니다, 서울의 넓은 거리로.
거리엔 진눈깨비 눈만이 흩날리고
그대 그리는 마음이 녹아 내립니다, 진눈깨비 눈처럼.

XIII

무슨 불행한 별이 떨어졌기에
이대로 언제까지나 서성거리고
있어야 합니까, 해도 어느덧
기울려 하는데…… 길가에서.

XIX

소월의 왕십리를
그대 따라올 줄야.
가도 가도 왕십리
해도 부셔라.

XV

그대는 나의 것,
나는 그대의 것,
이 말은 내가 했던가요?
그대가 했던가요?

XVI

울음을 그치셔요.
눈물을 씻으셔요.
내가 가엾다고요?
천만에, 이렇게 행복한데요…….

XVII

못견디게 뵙고 싶은 날은
으레 이가 쑤십니다. 몹시 아파요.
큼직한 어금니가……
……벌레 먹은 어금니가…….

XVIII

그대 마음은 저 바다의
출렁대는 파도입니까.
내 가슴 위로 밤낮 없이
밀려 왔다가는 밀려 나가고…….

XIX

새는 하늘에 사는 새는
하늘이 있어 날아 다니고
나는 그대 곁에 있는 나는
그대 곁이 있어 살아 나가요.

XX

언제까지든 착한 사람끼리 언제까지든
살아야 합니다, 언제까지든
떨어지지 않고 언제까지든
비둘기처럼 살아야 합니다, 언제까지든.

XXI

한종일 내리던 가을 비는
이슥고 어둠 속으로 달아났습니다,
그대를 울리고
나를 울리고.

XXII

서로 사랑한다는 것은
서로 괴롭히는 것,
그렇다면 좋습니다, 어디 누가
보다 더 괴롭히는가 내기해 봅시다.

XXIII

서글픈 마음에서 그대를 들어
이렇게 내가 안아 보는 것입니다.
고독에 여윈 가냘픈 몸이길래
이렇게 내가 울고 있는 것입니다.

XXIV

"이렇게 몸이 좋아졌어요
그렇게 앓기만 하던 몸이.
만져 보셔요, 이 팔목을
이 허리를 만져 보셔요."

XXV

가락을 깔고 나란히 앉았었습니다.
가락은 이슬에 촉촉이 젖어 있었습니다.
어깨를 얼싸안고 서로 웃었습니다.
앗! 어디서 새란 놈이 파르르 날아 갔습니다.

XXVI

오솔길 따라 따라 가을을 밟고 가
조그만 육모정에 걸터 앉으면
우리는 옛날로 돌아가는 것이었습니다,
파아란 하늘을 멀리 날아…….

XXVII

버스는 떠나고야 말았습니다.
비 뿌리는 종로는 무인 절도였습니다.
나는 오늘의 숙소를 찾아 헤매었습니다,
바람에 불리는 가랑잎처럼.

XXVIII

어디가 그렇게 좋으냐고 그대는 묻습니다.
나도 모릅니다, 나도 모릅니다, 어디가 좋은지를.
그저 따를 뿐입니다. 사랑할 뿐입니다,
어디가 좋은지도 알지 못하며.

XXIX

하얀 자리에 걸터 앉아
그대는 가까이 오라 합니다, 두 손을 내밀고.
풋사랑 같은 부끄러움에 불을 껐더니
글쎄 달이 보지 않아요, 유리창 너머로.

XXX

언덕 길을 넘어 가면서
나는 생각하는 것이었습니다, 뭣하러 여기 왔누 하고.
그러나 모르겠습니다. 나는 모르겠습니다.
달빛이 좋아, 그대가 좋아 따라 왔을 뿐입니다.

XXXI

아름답게 살아라
서러웁게 살아라
다리 밑 강물이 속삭이며 흐릅디다,
난간에 기대어 내려다 볼 때.

XXXII

나는 노래 부릅니다. 나는 노래 부릅니다.
내가 부르는 노래는 모두 다 그대의 것,
오직 그대만을 위하여 나는 노래 부릅니다.
남이야 뭐라든 나는 노래 부릅니다, 그대 앞에서.

XXXIII

종이 울립니다, 저녁 종이 울립니다,
함박눈이 펑펑 내리는 속을.
마지막 사랑을 알리는 즐겁고 쓸쓸한
종이 울립니다, 저녁 종이 울립니다.

## 후 기後記

여기 모은
얼마 되지 않는 이 시편들은
솔직히 말씀드려
아무한테도 보이고 싶지 않습니다,
오직 한 사람
고독한 그 여인을 빼놓고는…….
그러나 오늘
나는 이것들을 이렇게 인쇄하여
널리 세상에 내놓습니다,
즐거운 마음과 아울러
어떤 자랑스러움까지 느끼며…….
독자여 더 무엇을
나에게서 알아내려 하지 말아 주시오.
한 사람의 고독한 시인과
한 사람의 고독한 여인이 있어
서로 사랑한다는 슬픈 사실
그 밖에 아무것도 아닙니다.

一九五七年 十月 三十日 석모夕暮
저자著者

張 萬 榮

第六詩集

# 『장만영 선시집選詩集』

1964년

제1부

# 三十年代

## 양羊

어린 양은 오늘도 머언 산을 바라보고 있습니다.
찬란한 푸른 옷을 산뜻이 갈아입은 산마루 끝에는
파아란 하늘을 밟고 가는 흰 구름이 있습니다.

어린 양은 오늘도 아득한 새소리에 귀를 기울이고 있습니다.
새들이 타고 날아가는 포근한 바람 속에는
새들의 지저귀는 즐거운 노래가 있습니다.

어린 양은 오늘도 떠 가는 흰 구름을 보고
자기 엄마가 산을 넘어오지 않나 의심합니다.

어린 양은 오늘도 새소리를 들으며
저를 부르던 엄마의 목소리를 그리워합니다.

## 바람과 구름

어머니
언니가 양들을 데리고 나아간 지는 벌써 여러 달이 되지 않습니까?
그런데 언니는 왜 돌아오지 않을까요?
나는 오늘도 저 은행나무 아래로 나아가
언니를 기다리는 일과를 잊지 않겠습니다.

어머니
석양이 되어 언니가 양들을 몰고
저 산기슭을 돌아 휘파람을 불며 올 때가 되었건만
언니는 영영 오지 않고
구름만 뭉게뭉게 산을 넘어옵디다.

어머니
어디서 어린 빼꾹새 소리가 들려 옵니다.
만일 언니가 빼꾹새가 되었다면
숲에서 오죽이나 외로와하겠습니까?

*

애기야 저 파아란 하늘을 바라보아라!
맑은 하늘에 나붓나붓 떼져 다니는
하이얀 구름이 보이지 않니?

너의 언니는 하늘에 사는 구름이 되고
떼지어 다니는 하이얀 구름은
언니가 사랑하던 양들이란다.

오늘도 너의 언니는 고요한 하늘 푸른 길로
양들을 몰고 다니는구나
나직이 떠 갈 때는 휘파람 소리도 들리지 않겠니?

## 비

순이 뒷산에 두견이는 노래하는 사월달이면
비는 새파아란 잔디를 밟으며 온다.

비는 눈이 수정처럼 맑다.
비는 하이얀 진주 목걸이를 자랑한다.

비는 수양버들 그늘에서
한종일 은빛 레이스를 짜고 있다.

비는 대낮에도 나를 키스한다.
비는 입술이 함씬 딸기물에 젖었다.

비는 고요한 노래를 불러
벚꽃 향기 풍기는 황혼을 데려온다.

비는 어디서 자는지를 말하지 않는다.
순이 우리가 촛불을 밝히고 마주 앉을 때

비는 밤 깊도록 창 밖에서 종알거리다가도
이윽고 아침이면 어디론지 가고 보이지 않는다.

## 달 · 포도 · 잎사귀

순이 버레 우는 고풍古風한 뜰에
달빛이 밀물처럼 밀려 왔구나

달은 나의 뜰에 고요히 앉아 있다
달은 과일보다 향그럽다

동해 바다 물처럼
푸른
가을
밤

포도는 달빛이 스며 고웁다
포도는 달빛을 머금고 익는다

순이 포도 넝쿨 밑에 어린 잎새들이
달빛에 호젓하구나

## Moon, Grapes and Young Leaves

Soonee,
in my old fashioned antique yard,
where insects are chirping,
Moonlight has tided into.

Moon sits still,
Sweeter than fruits.

Like waters of the East Sea
Blue
Night,
Fall

Grapes are fair of moonshine
Grapes are ripe of moonshine

Soonee,
Those young leaves under grape-vines
look lonely
For the moon lights.

* Translated into English by Won, Young Hee
(SungKyunKwan University)
번역: 원영희(시인)

## 순이順伊와 나와

푸른 잔디밭을 깔고
순이와 나란히 앉았다.

순이의 어깨로 나의 팔이 오른다.
나의 어깨로 순이의 팔이 오른다.

순이 너는 내가 좋으냐?

순이의 눈이 수정처럼 맑아진다.
순이의 얼굴이 나의 가슴을 파고든다.

솔바람이 바다처럼 시원스런
언덕
봄

순이와 나는
먼 산맥들처럼 고요한 「내일」을 생각하며 행복하다.

## 병 실病室

비가 밤을, 밤이 창을 밀며온다. 나는 램프에 불을 켠다. 나는 창앞으로 가 본다. 캄캄한 밤. 나는 열이 높다. 나는 기침을 한다. 나는 코끼리처럼 갑갑하다. 나는 찬 유리에 입김을 흐린다. 나는 입김을 흐리어 손끝으로 희화를 그려본다.

다리가 기린처럼 긴 녀석—

그는 눈이 펴얼 펄 내리는 광야를 가는 것 같다. 그는 지향없이 쫓기어 가는 것 같다. 그는 백계 러시언인 것 같다. 그는 임을 잃은 나 같기도 하다.

나는 다시 자리로 돌아와 눕는다. 나는 고달프다. 나는 자고 싶다. 나는 가만히 눈을 감는다. 비가 눈을, 눈이 바람을 몰고 온다…….

## 향 수鄕愁

나는 바다로 가는 길로 걸어간다. 노오란 호박꽃이 많이 핀 돌담을 끼고 황혼이 있다.

돌담을 돌아가면—바다가 소리쳐 부른다. 바닷 소리에 내가 젖는다. 내가 젖는다.

물방울이 생활처럼 차다, 몸에 스며든다. 요새는 모든 것이 짙은 커피처럼 너무도 쓰다.

나는 고향에 가고 싶다. 고향의 숲이, 언덕이, 들이, 시내가 그립다. 어린 적 기억이 파도처럼 달려든다.

바다가 어머니라면—하고 나는 생각해 본다. 바다의 품에 안기고 싶다. 안기어 날개같이 보드라운 물결을 쓰고 맘 편히 쉬고 싶다.

수평선 아득히 아물거리는 은색의 향수. 나는 찢어진 추억의 천막을 깁는다, 여기 모랫벌에 주저앉아—.

## 호수湖水로 가는 길

밤이 별들을 안내하며
저 들을 고요히 건너 올 때

오리와 흰 거위란 놈은
돌아갈 길조차 잊어버리고
호수로 가는 길가에 서서 이야기만 하고 있다.

저녁 물바람이
풀피리 소리를 싣고 올 때

물동이를 이고 돌아가는
마을 색씨들의 흰 옷 그림자가
조각달처럼 외롭구나.

호수로 가는 길은
별이 포도송이처럼 열린 저 하늘에 닿은 듯—

머언 마을 뒷산엔
벌써 소쩍새가 나와 운다.

## 슬픈 조각달

바다로 향한 창에 기대어
달빛에 부서지는 파도 소리를 듣는 것은
가슴을 앓는다는 그 여자이지요?

차디찬 바다 밑바닥 깊이
그가 꽃다운 계절을 매장한지도 오래다 하나니
오늘밤 지는 낙엽조차 마음에 무겁겠습니다.

일찍이 나도 당신 같은 귀여운 아가씨를
굽이굽이 돌아가는 저 강물에
봄과 함께 떠내려 보낸 쓰라린 기억이 있다오.

저기 잠든 거리가 흐르오.
저기 달빛에 구름이 흐르오.
멀리 당신을 바라보는 내 가슴에
슬픈 조각달이 흐르오.

## 바다로 가는 여인女人

I

바다 가까운 요양원—
거기 꽃 한 가지 없는 병실 한 구석에
젊은 그 여인은 오래 가슴을 앓았다.
마음에 좀은 들고…… 피부는 백랍처럼 희어지고……

그녀는 행복이 그녀를 버리고 제비처럼 그 어느 먼 나라의 푸른 사월을 찾아갔다는 것을 알고 있다.

그리고 깊은 밤마다 그녀는 본다, 그녀의 육체의 지붕에서 날아가는 비둘기들을. 한 마리 두 마리 날아가면 다시 돌아올 줄 모르는 청춘의 비둘기들을.

해변 모래알보다도 덧없던 사랑. 사랑.

지금은 오직 가지가지 추억만이 그녀의 치은 가슴을 탁목조처럼 쪼을 뿐이다.

II

유달리 열이 높고 기침이 심하던 날 밤, 그녀는 동백꽃보다도 더 붉은 것을 입으로 토하였다.

밤은 바다 밑바닥처럼 고요하다. 남창으로 강물처럼 밀려드는 달빛이 차디찬 베드를 적시고 그녀를 적신다.

푸른 달빛을 조용히 호흡하면 마음만은 화분처럼 가벼운 것 같아……
그녀는 노대로 나가보았다.

밤하늘을 흐르는 차가운 달. 달을 스치며 스치며 자꾸자꾸 떠내려가는 구름. 구름.

—파도소리가 바람을 타고 멀리 들린다.

그녀는 어디선가 저를 부르는 늙은 어머니의 음성을 들은 것 같다.

"어머니!"

그녀는 두 손을 가슴에 대고 아득한 대지를 향하여 나직이 불러보았다.

Ⅲ

달빛을 머리에 이고 여인은 모랫벌을 바다로 간다.

바다는 그녀를 부르고…… 바람은 그녀를 붙들고……

치마폭이 깃발처럼 펄럭인다.

손수건을 입에 대고 걸어가는 그녀를 따르는 손수건을 입에 대고 걸어가는 검은 그림자—

그림자는 그녀의 반생처럼 짧고 슬프다.

기침을 하며 피를 토하며 농부처럼 피로한 몸을 그녀는 어서 어머니—바다의 품에 맡기고 싶었다—

바다여, 안아다오.

바다여.

## 여 인女人 I

병든 물새들이
파닥거리고…… 우짖고…… 피를 토하는
바다,
그런 어둠의 바다가
그 여인에게 있었을 줄야…….

푸른 동해가 바라다 보이는
서늘한 테라스—
스페인 · 베드 위에 누웠던 여인은
새벽달같이
차고 희었다.

## 여 인女人 II

창 밖에 가을 빗소리가
폐를 앓는 그 여인의 기침 소리로밖에
그렇게밖에 안들리는 날—

가슴 구석마다
그 여인의 기억이
다시 거미줄을 늘인다.

## 복 녀福女 Ⅰ

매소부 복녀의 품속에 피곤한 내가 있다. 내 가슴속에 이별의 슬픔이 있다. 슬픔속에 뜨거운 눈물이 있다.

비를 몰고 오는 차디찬 새벽. 새벽이 들창을 노크할 제, 안타까운 마지막 입술과 입술……. 복녀의 검은 눈썹에 눈물이 방울방울 이슬처럼 맺힌다…….

복녀야 너는 화분처럼 고운 너의 연정으로 내 가난한 청춘을 장식하더라. 그러나 새벽은, 새벽은 너무도 잔인하구나.

흐느껴 우는 것은 창밖에 겨울비다. 눈물을 흘리며 슬퍼하는 것은 복녀다. 나다. 마음 동산을 휩쓰는 것은 어젯밤 추억의 바람이다.

화롯불 삭아 쓸쓸한 행랑방. 나는 거기 두고온 복녀를 생각하며 아직 밤들이 머물고 있는 뒷골목을 걸어간다. 뒷골목을 걸어가며 오랜 세월의 나의 적막을 계산한다…….

## 복 녀福女 II

한 번 만났다 헤어지고 그리고
다시는 만나지 못한
복녀야

새벽달보다
희고 찬 육체를 가진……
그러나 레먼 맛이 있는 입술을 먹이던
복녀야

내품에서 함박눈처럼
그렇게 녹아 버리고 싶다고……
하룻밤 사랑에도 목메어 울던
복녀야

너는 악의 산협에 피어난 한 떨기 인정의 꽃.
너는 향긋한 눈물의 과실.

눈물을 잔득 머금고 바라보는 너의 눈 속에는
복녀야 아름다운 우주가 있더구나.

## 소 년少年

장미 가지를 휘어 울타리를 한 하이얀 양관을 돌아가면 곧 바다였다.

어느 날 황혼. 소년은 바다로 나아가 가슴 깊이 오래 지니고 있던 무지개 같은 꿈을 차디찬 물결 위에 집어 던졌다. 그리고 자기 봄마저…….

이제 꿈은 바다 밑바닥 깊이 바둑돌처럼 갈앉아 떨어지는 꽃잎새들을 생각하고 있으리라……. 이제 서글픈 느낌만을 주던 봄도 이윽고 물결 따라 그 어느 먼 해안으로 아주 떠나가리라.

소년은 가벼운 마음에 휘파람까지 불며 황혼길을 돌아갔다. 등 뒤에서 부르는 바닷 소리를 하모니카처럼 들으면서…….

그러나 소년은 그날 밤부터 시름시름 병을 앓아 자리에 눕고 말았다. 그가 무슨 병으로 앓는지는 의사도 모르는 수수께끼였다.

## 매 소 부賣笑婦

그녀는 잔인한 폐균이 복사빛 그녀의 가슴을 좀벌레처럼 파먹는 것을 알지 못하였다. 그러므로 육체의 따뜻한 체온이 얼음장같이 냉각하여 가는 것을 그렇게 슬퍼하지는 않았다.

그녀가 순정의 의상을 분실하였다는 이야기도 벌써 오랜 전설이다. 그녀의 육체는 식인종같이 광포한 사내들이 깔기고 간 지저분한 낙서로 더럽혀졌다.

회한도 없다. 슬픔도 없다. 구겨진 지도 같은 노령만이 그녀의 얼굴에 연대표 모양 걸려 있었다.

그녀가 그 어느 전원에서 야채를 재배하려던 것은 꿈에서 살려는 그녀의 마음이었다.

폐허와 같은 육체의 성 속에 왕자와 같이 흰 사내를 기다리던 것은 그녀의 마지막 행복이었다.

현실처럼 찬 겨울날. 늙은 매소부는 서울 뒷골목 어느 행랑방에서 죽었다. 이웃 사람들은 지촉대신 조소를 보내었다.

## 아 가

굵은 빗줄기가 유리창을 차고 달아난다. 달아났다가는 다시 돌아와 찬다. 차고는 가고 갔다가는 와서 차고……. 바람소리, 빗소리, 온갖 우주의 소리가 나의 귓속에서 버석거린다.

"응아, 응아!"
밤은 깊고–. 담벼락을 더듬어 다니는 고양이 소리 같지는 않다. 아가가 젖을 달라고 보챈다. 엄마를 찾는다. 아니, 아배를 부른다.

"오냐, 오냐!"
나는 팔을 벌려 안아 주고 싶다.
"아가야, 너는 어디메 있니?"
나는 창窓 앞으로 달려가 문짝을 열어제쳤다. 캄캄한 어둠 속에서 바람이 달려들어 나를 찬다. 빗줄기가 나를 갈긴다.
오오, 차라! 갈기어라!
비여
바람이여

어디선가 아가의 우는 소리가 비바람 소리에 섞여 자꾸자꾸 들려온다…….

"아가야!"

나는 아가를 부르며 부르며 창을 넘어 뛰어나갔다.

포도鋪道는 조수 민 강변처럼 비에 잠기고……. 나는 비바람에 불리며 쫓기며 끝없이 달리었다.

늘 다니던 골목길이 처음 온 나라 같구나. 꼬불꼬불 담을 돌아 비를 쓰고 바람을 지고 헌 마고갑처럼 굴러 다니노라면 오오, 저기 아가는 나를 부르고 섰구나. 아가는 나를 보고 웃는구나.

가로등에 부서지는 빗방울. 빗방울. 빗방울이 아가의 얼굴이라. 아가의 얼굴이 둘이라, 셋이라. 아니, 넷이라. 아니, 다섯이라. 열이라. 스물이라. 백이라. 천이라. 오오, 수없는 아가가 하늘에서 내려오는구나.

비바람 그치면 서울 하늘에도 달은 있다.

폐허같이 조용해진 종로의 넓은 거리—

나는 갑자기 꺼이 꺼이 목놓아 울고 싶더라, 저기 전주라도 붙들고…….

"응아, 응아!"

"아가는 어디서 저렇게 울고 있노?"

나는 고개를 들어 아가를 찾는다. 어디서인지 아가는 나를 기다리고 있을 것만 같다.

"오냐, 오냐!"

나는 적삼을 헤치고…… 적삼 속에 아가를 품으려고 다시 걸어갔다, 아가를 부르며 부르며…….

나의 피리는 찢어진 지 오래다.
이따위 피리로 그 무슨 좋은 곡조를 부를 수 있으랴.
나의 귀여운 마녀, 지금 그도 병들었나니
오오, 차디찬 과거여 비애여
가거라!
그 어느 먼 북극으로라도, 썰매를 타고.

그때 나는 아가와 단둘이 살리라. 조개처럼 물고기처럼 무심히 살리라.
아가야, 아배는 아가의 집에서 아가와 단둘이 살고 싶다…….

## 귀 거 래歸去來

새벽마다 베개는 내 눈물에 젖었더라.
아가는 나를 기다리는가.
돌아가리. 내 아가의 곁으로 돌아가리.
계집을, 동무를, 시를……
나의 즐거움이었던 모든 것을 내던지고
아가를 위하여(내 섭섭히 생각하지 않고)
돌아가리, 내 아가의 곁으로 돌아가리.
뻐꾹새가 많이 날아와 우는 동리.
복사꽃 구름 피듯 유달리 아름다운 동리.
나는 거기 아가와 둘이 살자.
바람이
저 하늘로 구름쪽을 몰고 가듯이
이윽고 아가와 내가
저기 푸른 들로 가축을 몰고 다니는 날—
오오 그 날의 나의 마음은 청랑하고
인생은 단오날처럼 즐거우려니
돌아가리, 내 아가의 곁으로…… 고향으로.

## 비의 이미지image

병든 하늘이 찬비를 뿌려……
장미 가지 부러지고
가슴에 그리던
아름다운 무지개마저 사라졌다.

나의 「소년」은 어디로 갔느뇨, 비애를 지닌 채로.

—오늘밤은
창을 치는 빗소리가
나의 어린 해골을 넣은 검은 관에
못을 박는 쇠망치 소리로
그렇게 자꾸 들린다.

마음아, 너는 상복을 입고
쓸쓸히, 진정 쓸쓸히 누워 있을
그 어느 바닷가의 무덤이나 찾아가렴.

## 가 버린 날에

바람소리가 어느덧 나의 귀에 익었다. 나는 산에 있었다. 한종일 산에서 산으로 짐승과 같이 헤매다니었다, 항시 내리지 않는 슬픔을 지니고.

나의 벗이라고는 먼 메아리뿐. 황혼이 산정의 깃발을 내릴 녘이면 떠나온 고향 거리가 못견디게 그리웠다. 그럴 때면 나는 으레 보낼 곳 없는 편지를 썼다. 때로는 가랑잎에 초콜릿 같은 시를 쓰기도 했다, 먼 그이를 그리면서.

산ㅅ골의 반딧불이는 별만큼이나 큰 것이 무서웠다.

달이 밝으면 산짐승도 숲에서 처량히 울곤 했다.

## 새의 무리

언덕의
잔디밭에
햇볕은 따슷이 스며들고.
따슷한 양지밭에
흩어진 낙엽 위에 드러누워
바라보는
하늘, 하늘이
드높고 드높고 맑다.

바람도 푸르고
산도 푸르러
온통 푸른 빛에 젖어
나는 홀로 외로운 행복 속에 있는
행복의 외로움을 생각한다.

이 때 문득
앞을 가리며 새의 한 떼가
날아갔다……

거 무슨 새일꼬?

바람에 불리며 끝없이
끝없는 하늘의 층층계를
기어 올라가는
새, 새, 새……
수없는 새의 무리.
대체 새들은 어딜 간다는 거냐.

멀고 먼 하늘의 저쪽—
일찍이 그들의, 그리고 인간의
둥지였던 낡은 주소를 찾아가는 것이냐.

지구가 이렇게 푸르고 고요한 대낮에
새들은 하늘로
하늘로 자꾸 올라만 가니
그래 장차 무슨 일이,
그 무슨일이 일어난다는 거냐.

## 만 추晩秋

봉우리와 봉우리
사이로 보이는 파아란 하늘에
구름이,
흰거위 같은 구름이 흐르고.

잣나무와 잣나무
사이로 보이는 깊은 산협에
단풍이,
타는 듯 붉은 단풍이 고웁고.

줄을 이어
나란히 서 있는 가로수의
그림자 짙은 신작로를
장터로 가는
검은 도야지 도야지 도야지……

올해도 가을이어
너는 몰이꾼의 채찍 소리에 놀라 달아나누나.

# 동 야冬夜

밤마다 함박눈이 펑펑 내리었다.

밤마다 뒷산 고목들이 등을 비비적거렸다.

밤마다 질화롯 가에서 감자만 구워 먹었다.

밤마다 집 나가신 아버지를 그리었다.

밤마다 강 건너 마을에 복사꽃 피기만 기다렸다.

## 이니셜INITIAL

유리창에
젖빛 수증기가 잔득 어렸다
S · E—나는 그이의 이니셜을 쓴다.
은색 글자가 차고 슬프다.
나는 손수건을 꺼내 지운다.
지우고 또 지워도 슬픔은 사라지지 않는다.
유리컵 안에 피었던
장미꽃마저 병든 밤.
나는 가슴을 앓는다.
가슴을 앓으며 내 사람을 생각한다.
S · E—비둘기처럼 내 품에서 날아가 버린—.

## 항 구港口

바닷 소리가 들리는 언덕에
갈잎은 외롭다,
외로운 갈잎처럼.

바람은 자고
별은 숨고.

하늘에는 달이,
달에는 항구의 등불이 비쳐 있다.

제2부

# 四十年代

## 수 야愁夜

나는 시커먼 빌딩과 빌딩이 늘어 서 있는 거리의 뒷골목을 걸어간다. 슬픈 밤의 피부를 적시며 비는 퍼붓는다.

나의 쓸쓸한 마음을 씹으며 걸어간다.
나는 나의 고독과 나란히 걸어간다.

나는 누굴 찾아가는 것일까.

참, 나는 어디를 간다는 걸까.

강아지처럼 나를 따라오는 나의 기억. 무수한 과오와 낙서투성이의 나의 청춘. 나를 괴롭히던 사랑이, 사랑이 거주하다 나간 나의 육체.

종이쪽은 바람에 불리우고
나는 생활에 불리우고.

내가 쓰고 가는 우산대로 차디찬 물방울이 흘러 내린다. 물방울이 쥐어 주는 차디찬 슬픔. 야기가 차구나, 북해의 가스처럼.

낡은 장명등이
비뚜로 서 있는
지하실 바.

나는 거기 돌층계를 분주히 내려간다. 자꾸 무너지려 하는 나 자신을 버티고자…… 버티고 그리고 지키며 위로하고자…….

## 뻐꾹새 감상感傷

봄을 따라 아가가 갔다. 조그만 아가의 관이 나가던 날은 비가 무섭게 퍼부었다. 나는 몹시 슬펐다. 나는 여행을 떠났다. 산골의 온천에서 달포를 있었다. 밤마다 뻐꾹새가 울었다. 나는 그 때 술을 배웠다.

※

뻐꾹새 울음을 들으며 눈물짓노라.
뻐꾹새는 서러운 새 서러운 목소리로 울음우네,
뻐꾹새는 밤새 뉘를 찾아 저리 우누?
아빠를 모르고
엄마를 모르고
쉽고 짧게 살다 가버린 아가,
아가는 죽어 뻐꾹새가 되었느뇨.
뻐꾹새가 되어 뻐꾹 뻐꾹
아빠를 찾아 엄마를 찾아 저리 우느뇨.

깊은 산골,
초라한 여인숙.
여울 물소리, 뻐꾹새 울음소리.
나는 자칫하면 눈물이 후두둑 떨어질 것만 같아라.

뻐꾹새 뻐꾹새 뻐꾹새
뻐꾹새는 저기 숲에서 살지?
어느 곳 하늘 아래 나의 아가는 사누?

## 서 정 가抒情歌

봄, 비는 시름시름 내려를 오고
봄, 녹슨 마음이 창에 기대어 서글퍼하고 있다.

태양은 가 버리고…… 저기 빌딩과 빌딩 사이로 보이는 하늘에 달이 떴다. 달 같은 나의 감상. 나는 저 향수의 노래가 들린다. 어두운 창 밖에, 그리고 창 안에.

나는 담배를 피우며 생각한다. 우리가 살던 그 마을에 어느덧 꽃은 피었을까. 양 치는 머슴과 그의 아내처럼 그 때 우리는 아무 슬픔도 모르고 살았던 것을—.

우리가 사랑은 하고, 그랬길래 우리에게 괴롭던 마을…….

기억은 한줄 연기처럼 슬픔으로 피어……. 피어 오르는 슬픔 속에 마을 풍경이 펴어러니 떨린다. 아아 맑은 하늘, 푸른 하늘, 따슷한 하늘에 구름은 바람에 쫓기어 돌아다니고. 보리종달새 우짖고. 어딜 가나 꽃향기 풀향기 숨 막히게 풍기는 곳. 그 곳을 이제 우리 찾아가리라.

봄, 녹슬은 마음이 창에 기대어 서글퍼하고
봄, 비는 시름시름 내려를 온다.

# 온천溫泉이 있는 거리

유황냄새 훅 끼치는 따슷한 샘이 솟는 거리
밤에는 안개가 비오듯 내려
산, 들 할 것 없이 안개에 싸여 자옥한 속에
여관으로 불려가는 창기들 소리.
창기를 나르는 인력거 나발 소리.
밤이 깊도록 새도록
아아 장고 소리.
수심가 소리.
……나는 통 잠이 오지 않는다.

# 온천溫泉호텔

바람이 불면
바다로 가는 배처럼 흔들린다.

H항으로 간다는
장난감 같은 조그만 기차가
호텔 문 앞을 쉬엄쉬엄 지나다니고

여기는
어디나 더운 샘이 솟고
가는 곳마다 유황 냄새 천지다.

## 배스 룸Bath Room

거울 속에라도 뛰어든 것 같다.

드높은 천성의 고풍한 램프가 좋다.
더운 물을 토하는 돌사자가 좋다.

꽃다발을 깐 듯
화려한 타일—

거기 따슷한 볕은 스며 들고
거기 따슷한 물은 넘쳐 흐르고

좋은 아침은
내가 펑엉펑 퍼내는 물에 씻겨 흐른다.

## 황 혼黃昏

이슬이 비오듯 내리는데
비오듯 내리는 이슬에 젖어
고요한 황혼의
황혼의 어둠 속에 피어 있는 코스모스.
그 꽃을 꺾으며 꺾으며
벌레 소리,
요란스런 벌레 소리 함부로 밟고 가면
외로움 가슴에 차고
먼 하늘엔 작은 별 하나.

## 해바라기

방갈로풍의 발코니—
거기 장미꽃 피부를 가진 소녀는
암·채어에 누운 채
잠이 들었다.

창 너머로
노오란 해바라기란 놈이
고개를 끼웃거려
들여다보고…….

## 저녁 하늘

창을 여는 얼굴에
분수가 물을 끼얹는다.

프랑스풍의 정원 저 멀리
바다와 같은 저녁 하늘.

그 하늘로 별이 흩어진다…….

# 대 낮

새파란 초여름을
분수처럼 뿜어 올리는
플라탄플라타너스의 어린 잎새들—

태양은
정원에 내려와
뜰개질하기에 여념이 없다.

## 석 양夕陽

창 가까이 등의자를 놓고
소녀와 내가 마주 앉는 석양이면
안뜰에 명랑한 소낙비가 오고
소낙비가 왔다 간 뒤에는
엷은 구름들이 내려와 놀다 간다.

## 춘 일春日

나비가
개나리꽃 핀 울타리를 넘어
자꾸 날아온다.

바다가 바라다보인다는
산, 그 아래 마을에는
지금 복사꽃 피어 한창인데…….

소녀는 뜻 모를 서글픔을 씹으며 씹으며
홀로 해먹*hammock*만 흔들고 있다.

## 온 실溫室

유리로 지은 집입니다.
창들이 하늘로 열린 집입니다.
집은 연못가 딸기밭 속에 있습니다.
거기엔 꽃의 가족들이 살고 있습니다.

지평선 너머로 해가 기울고
밤이 저 들을 건너 걸어 올 때면
집 안에는 빨간 등불이 켜지고
꽃들이 모두 모여 앉아 저녁 식사를 합니다.

자, 이리로 오시오.
좋은 음식 냄새가 풍기지요?
꽃들이 지금 저녁 식사를 하고 있습니다.
저, 접시에 부딪치는 포크며 나이프 소리……
저, 무슨 술냄새 같은 것이 나지요?

이리로 좀 더 가까이 와 보시오,
보기에도 부럽게 즐거운 가족들입니다.
그리고 저 의상이 어쩌면 저렇게 곱습니까?
식사가 끝나면 으레 꽃들은 춤을 춥니다.

조금만 여기에서 기다려 주시오.
이윽고 우리는 아름다운 音樂을 들으며
이 세상에서 보기 드문 호화로운 춤을 구경할 것입니다.

## 이 향 사離鄕詞

나는 고향을 떠나가리라.
십년 전 옛날
「귀거래歸去來」 한 편을 써 던지고
서울이 싫어
아니, 못견디게 그리웁기
돌아왔던 내 고향.

—나도 우리의 조상들이 그랬듯이
아득한 옛날의 우리의 선조의
선조의 마음을 그대로 받아 지니고
그 마음을 자손에게 전하며
그렇게 살다 죽고 싶었다.

그러나 고향은 내가 그리던
그리고 나의 기억에 있는
그런 곳이 아니더라.

차라리 내 고향을 버리리.
고향을 버리고 떠나가리라.

오늘은
저 늙은 산마저 내 마음을 아는 듯
떠나가라고 고개를 끄덕이네.

## 관 수 동觀水洞

관수동觀水洞 다리를 건너면 변전소變電所의
드높은 빌딩이 있는 부근附近.
독을 파는 전방이 있고
담뱃가게가 있고
모퉁이의 육곳간을 돌아 골목길로 들어서면
바로 관수동觀水洞 이십이번지
담도 판장도 없이
길이자 뜰이요, 뜰이자 방房인 집은
그 옛날
내가 순이와 외롭게 살던
외롭게 살며 「축제祝祭」를 쓰던 곳.
오늘 이 앞을 지나가며
나는 소식조차 모르는 순이를 생각한다.
서로 사랑은 하고
그러면서도 이루지 못하고 헤어져 버린
나와 순이와의 사랑을 생각한다.

순이와 내가 살던 저 집에
지금은 누가 사는 것일까,
밖으로 녹슨 자물쇠가 잠긴 채
조용한 것이 빈집 같아라.

## 광화문光化門 빌딩

그 때와 조금도 다름없이
무슨 광업소니 무슨 칫과니 하는
무수한 이 걸리어 있는
광화문 빌딩

여기는 그 전날
나의 친구가 다니던 출판사가 있던 곳,
이 앞을 지나갈 때마다 나는 그의 생각이 난다.

비가 오거나 눈이 오거나
점심밥도 못 가지고
생활탓에 헤매던 그의 슬픔을 생각한다.

나는 그가 죽었다고 믿어지지 않는다.
지금도 어진 얼굴을 하고
저 빌딩 속에서 쑥 나올 것만 같다.

그와 나란히 앉아 바라보던
로터리의 분수— 분수에 물은 없고

나뭇잎새만 설움인 양 쌓이었는데
세상은 바뀌고
사람 사는 것이 꿈만 같구나.

## 정동貞洞 골목

얼마나 우쭐대며 다녔었냐,
이 골목 정동 길을.
해어진 교복을 입었으나
배움만이 나에겐 자랑이었다.

도서관 한 구석 침침한 속에서
온종일 글을 읽다
돌아오는 황혼이면
무수한 피아노 소리,
피아노 소리
분수와 같이 눈부시더라.

그 무렵
나에겐 사랑하는 소녀 하나 없었건만
어딘가 내 아내 될 사람이 꼭 있을 것 같아
음악 소리에 젖는 가슴 위에
희망은 보름달처럼 둥긋이 떠올랐다.

그 후 이십 년
커어다란 노목이 서 있는 이 골목

고색 창연한 긴 기와담은
먼지 속에 예대로인데
지난 날의 소녀들은 어디로 갔을까?
오늘은 그 피아노 소리조차 들을 길 없구나.

## 가 버린 날에 부치는 노래

풀밭은 촉촉이 이슬에 젖었더라.
풀밭은 벌레소리 가뜩하더라.
둘레둘레 아무리 둘러봐도
깊어가는 밤만이 어둡더라.

코를 푹 찌는 흙냄새,
풀향기, 꽃향기,
벌레소리에 이어 들리는 그윽한 속삭임…….

얼마든지 얼마든지 어루만지고 싶은 것,
달덩이 같은 내 사랑.
그것은 차라리 향취 짙은 남국의 열매.

서로 미칠 듯
맑은 입김 불며 찾을 때
기쁨에 겨워 밤이슬 우수수 떨어지고
먼 숲에는 꾹꾹새, 소쩍새,
부엉새 울음…….

우리의 즐거운 숨바꼭질,
가 버린 날의 남모르는 하나의 비밀을
오직 알고 있는 건 하늘의 별과
사랑 노래 엿듣던
풀밭의 풀벌레.

## 귀 성歸省

장고 소리, 수심가 소리에 날이 가고 밤이 새던 이 거리. 한때는 술에 계집에 놀음판이 여관마다 꽃 피던 데다. 오늘 문득 맞아주는 이 하나 없는 고향 정거장에 내리면 내가 어째 만리 타관에라도 온 듯 외롭구나.

철도길 건너서면 거기가 바로 온천장. 코를 푹 찌르는 저 냄새, 유황 냄새는 온천물이 풍기는 것이렷다. 수증기 안개같이 자욱한 속, 예나 다름없이 들려오는 귀익은 저 소리는 물탕을 하는 이들의 과남 소리렷다.

내 소년이 자라고 또 청춘이 피어오르던 호텔 부근. 넓은 광장에 가을꽃들은 철 잊지 않고 피어났는데 그 화려하던 온천호텔은 왜 보이지 않느냐. 불타 재 되어 버린 빈 터에 가꾸는 이 없이 잡초 제멋대로 자라고……. 차마 서 있을 수 없어 발길 돌리려니 옛말 하자는 듯 화초석 나를 잡네. 나를 잡고 놓지 않네.

밤은 얼마나 깊었는가. 창을 두드리는 소리. 바람이 이는가, 비가 오는가. 눈 감으면 가지가지 그 전일 새롭구나. 분녀랬나 금녀랬나 이름조차 잊었으나, 얼굴이 희어 달 같던 색시. 여관집 색시. 야삼경 주인 눈 가리고 이웃 눈 숨겨가며 어둠 타고 찾아오던 이. 아직도 그대로 여기 살고 있는가.

알아 봐 무엇하랴, 나는 나그네.
아무도 모르게 찾아왔다
내일은 다시 떠나려는 내 고향.

## 가 을

나락도 다 거둬들인 뒤
그러나 아직 눈이 오기에는 이른
바로 그 무렵이면
어머니는 으레 나를 데리고 물탕을 갔다.

우리가 찾아가는 온정이란
들길로 산길로
읍에서 오십리나 되는 산골이었다.

교군을 타고
때로는 노새를 타고
어머니와 둘이 가을 하늘 아래로 가노라면
먼 숲에서 우는 산비둘기 소리가 좋고
짤랑짤랑 노새의 방울 소리가 좋아
어느덧 나는 어머니 품에 얼굴을 파묻고 잠들곤 했다.

그때 어머니는 젊고
나는 나이 넷이었나 다섯이었나.
기억조차 아득하나
티없던 시절이여

나락도 다 거둬들인 뒤
그러나 아직 눈이 오기에는 이른
바로 그 무렵이면
나는 나의 어린 적 온정행이 그립고
어디선가 산비둘기 소리
노새 방울 소리가
짤랑짤랑 나의 귀에 들리는 것 같다.

## 생 가生家

누룩이 뜨는 내음새
술찌기미 내음새가 훅훅 풍기던 집
방마다 광마다
그뜩 들어 차 있는 독 안에서는
술이 끓었다.
술이 익었다.

해수병을 앓으시는 어머니는
숨이 차서…… 기침이 나서……
겨울이면
요를 두른 채
어둔 등잔불 곁에서
긴긴 밤을 노상 밝히곤 했다.

아버지는 집을 나가신 뒤
몇 해를 두고 소식이 없으시고
오십 간 가까이 크나큰 집을
어머니와 둘이서 지키는 밤은
귀신이라도 나올 것 같아……

바람 소리
기왓골에 떨어져 구르는 나뭇잎새 소리에도
나는 이불을 뒤집어쓰고 숨도 쉬지 못하였다

## 유 년幼年

뒤란은 햇볕이 잘 들어
사시장철 고운 꽃들이 피어 있었다
성처럼 쌓아올린 돌담을 넘어
무수히 날아드는 흰나비 호랑나비……
형도 누나도 없이 자란 탓에
늘 계집애 모양 소꿉장난을 하며 놀았다
–꼴때 말때
–꼬올 꼬리 끓어라
갑자기 누가 있는 기척
문득 고개 들어 바라보는 굴뚝 모퉁이에
어머니의 얼굴이
보름달처럼 웃고 계시다.

## 달 밤

두 눈 감으면
지금도 나의 눈속에 서언히 비친다,
벼 낟가리 꽉 들어 차 있던
고향 집 옛 마당이……
올배채기도 하였고
자치기 칼치기 돈치기도 하였고
마당은 우리 모두 모여
숨바꼭질 하기에도 좁지 않았다
—잡으러 간다
—꼬옹 꽁 숨어라
—머리칼 뵌다
달밤 기러기 자꾸 북으로 날아가고
그런 밤이면 이런 어린 목소리들이
고요한 마을 밤 하늘로 사라져 갔다,
밤이 깊도록…….

## 홍 역紅疫

덧문을 꽉 닫고
문에는 담요를 휘장 모양 깊이 늘어뜨린 방
방은 밤같이 어두워
대낮에도 늘 등잔에 불을 켜놨다.

홍역에는 가재가 좋고
노루피나 신개똥이 약이라는데
나는 그 놈의 신개똥이 쓰고 더러워
그것을 먹으려 할 때마다 짜증을 내며 울었다.

울면 청국 괭이 온다고
어머니가 나를 어르고 달래실 때
앗 그놈의 무서운 짐승은 왔다.
어느덧 들창 밖에 정말 와 있었다.

창살을 긁으며
으르렁거리는 청국 괭이
나는 그 누우런 괭이가 무서워
울던 울음을 약과 함께 꿀꺽 삼켰다.

## 성 묘省墓

아버지가 내 한 손을 이끌으시고
할아버지 산소에 가던 날은
햇볕도 좋고 산빛도 좋아
끝없이 걸어서 가고만 싶더라.

실개천 건너뛰면
거기 옛 이야기 같은 조그만 마을이 있고
마을을 지나면 언덕,
언덕을 넘으면 좁다란 들길.
들길에는 새빨간 산딸기가
가도가도 억없이 열렸더라.

산딸기 주렁주렁 열린 들길로
산딸기 따먹으며 쉬엄쉬엄 가다가
솔밭 속으로 들어서 한참을 가면
양지바른 널따란 잔디밭에
할아버지의
할아버지의 아버지 어머니의 산소들.

송편에 고기에
대추에 밤에 식혜에 술에
모두 거기 차려놓고 절하다
바라보는 하늘,
하늘이 맑고 곱더라,
뒷산 숲에서는 산꿩이 자꾸 울고…….

# 마 중

밤이 이슥토록
장에 가신 아버지가 아니 오신다.
어머니는 호롱에 불을 켜 들고
나를 앞세우고 마중을 나가신다.

캄캄한 밤은
누가 곁에서 뺨을 쳐도 모르게 어두운데
안개가 비오듯 내린다.

논에서 개구리가 요란스러이 울고 있다.
개구리 소리가
아가사리 귀신 소리같이
그렇게 들린다.

웬일인지 나는 자꾸 무섭다.

바로 이때이다. 나는 먼 강변 둔덕에
한 개 커다란 불덩이를 보았다.

머리카락이 하늘로 쭈뼛 솟는다.
"엄마 저 불이 뭐야?"
어머니는 태연히 말하신다.
"게 잡는 불이지 무슨 불이야."

불덩이가 강을 끼고 굴러 달아난다.
달아났다가 하늘로 솟는다.

그 다음
한 개의 불덩어리는
수없는 작은 불덩어리가 되어
별처럼 흩어져
들로
산으로
하늘로 산으로
들로 달아났다.

온 천지가
파일날 밤의 수박등같이
도깨비불 투성이다.

……흩어서 갔던 불들이
일제히 강변을 향하여 몰려든다.
몰려왔다
다시 커어다란 한 개의 불덩이로 뭉친다.
뭉쳤다가는 흩어져 달아나고
달아났다가는 몰려 들고
그랬다가 다시 흩어서 달아나는
불덩이 불덩이 불덩이…….

나는 무서움에 걸음조차 걸리지 않았다.
어머니 치맛자락을 잡는다.
그래도 어머니는 모르는 체 길만 가신다.

이윽고 산기슭을 돌아나오는
말방울 소리가 멀리 들려온다.
짤랑짤랑 짤랑거리는 저 방울소리
저 소리는 분명히 우리 집 말방울 소리다.

앗! 아버지가 오시는 것이다.
"아버지이 아버지이!"

나는 아버지를 소리쳐 부르며 부르며
캄캄한 어둠 속을 뛰어갔다.

## 욕 천浴泉

물에 들면
안개 같은 수증기가 자욱한 속에
여기저기 과남소리만 소란한데
모두들 웃으며 떠들며 천당이었다.
온정에 조약돌은 귀병에 좋고
물은 부스럼에 약이라고
사흘 물 닷새 물을 끝내고 돌아올 때는
너도 나도 그것들을 가지고 왔다.

제3부

# 五十年代

## 등 불

열어젖힌 창 밖으로
어둠을 뚫고 소리쳐 가는 소리.
밤은 여울물처럼
어디로 흘러 흘러 저리 가는 것일까.

먼 산,
그리고 가까운 수풀에
소쩍새 꾹꾹새 부엉새 울고
간간이 으르렁거리는 것은
산 속에 사는 짐승들의 울음 소리.
아아 모두들 이 밤이 외로워
저렇게 울고 울고 하는 것일까.

캄캄한 밤
한 개의 등불을 켜 놓고
이 아늑한 불빛을 지킴이 행복스럽구나.
창을 넘어
밤은 밀려오고 밀려가나
나의 등불은 꺼지지 않을 거다.

깜박깜박 허전한 것이나마
나는 내 곁에 놓고
한사코 지키며 살아가리라.

## 폐 촌廢村

노인들만 남겨 놓고
모두 어디로 떠나갔느냐.
빈집같이 호젓한 마을에
낮닭 목 길게 울고
삽살개는 들 건너 먼 산만 바라보고 있다.

봄이 되어 살구꽃은 피어 났는가.
복사꽃은 피어 났는가.
스치는 들바람에 우수수 떨어지는
꽃잎새 꽃잎새 꽃잎새.

이윽고 여름이 와도
뻐꾹새 소쩍새 날아와 앉을
뒷동산엔 나무 하나 없고
바윗 그늘 새빨간 진달래는
나의 이 서러운 마음인 양
차가운 산바람에 파르르 떨고 있다.

아아 나를 키워 준
마을아 그래도 저녁마다

목숨인 양 밥 짓는 연기
집집이 굴뚝에 실낱같이 오르는가.
밤이면 등잔불 방에 켜 놓고
모두들 다시 모여 살고 싶어 하는가.

## 사 랑

서울 어느 뒷골목
번지 없는 주소엔들 어떠랴,
조그만 방이나 하나 얻고
순아 우리 단둘이 사자,

숨바꼭질하던
어린 적 그때와 같이
아무도 모르게
꼬옹꽁 숨어 산들 어떠랴,
순아 우리 단둘이 사자.

단 한 사람
찾아 주는 이 없은들 어떠랴.
낮에는 햇빛이
밤에는 달빛이
가난한 우리 들창을 비춰 줄 게다.
순아 우리 단 둘이 사자.

깊은 산 바위틈
둥지 속의 산비둘기처럼

나는 너를 믿고
너는 나를 의지하며
순아 우리 단 둘이 살자.

## 순아에게 주는 시詩

네가 나를 좋아하듯이
나도 너를 좋아한다고
너에게 하고 싶은 말이란
오직 이 말뿐.

믿고 싶어도
믿을 이는 없다.

우리가 이렇게 주고 받는
아무도 모르는
요 조고만 정만이
나와, 그리고 너의
살아 있는 기쁨의 전부일 게다.

내가 너를 믿듯이
너도 나를 믿어라.
그리하여 서로 부르며 찾는
넋과 넋—사랑이
거센 풍랑 속에서

어떻게 엉킬 것인가.
엉키어 얼마나 굳세게 살아 갈 것인가,
순아 어디 부딪쳐 보자.

## 시장市場에 가는 길

밤과 새벽이
교대하는 거리에
먼, 그리고 가까운 전원에서
싱싱한 야채를 싣고 오는 화물자동차.
마차와 자전거
무수한 지게꾼. 광주리 인 아낙네.
밤을 새가며 모두들 분주히
시장을 향하여
열을 지었다.

순아와 내가 의좋은 부부처럼
어깨를 나란히 하고
새벽공기 흐르는 속을 시장에 가면
여기 저기서 들리는 시골 사투리
그 사투리 반갑고
바람이 스칠 적마다 코에 풍기어
고향 그립게 하는
풀 냄새 흙 냄새.

어느 노점 앞에 서서
푸성귀단을 뒤적이며 홍정하는 순아.
하이얀 옥양목 저고리
옥양목 치마에
흰 고무신을 신은 그의 뒷모습이
어쩌면 젊었을 적 어머니 같아
문득 내가 어린애 되어 기꺼워지면
팔고 사는 장터의 온갖 소음마저
나는 날나리 소리처럼 즐겁더라.

아직 이슬 가시지 않은 새빨간 토마토,
향긋한 산나물 몇 단에
배추니 무우니 파 같은 것 사 들고
갈 때와 꼬옥 같이
우리가 나란히 돌아올 때
눈부신 태양은 우리들의 머리 위에
테이프같이 찬란한 것을 뿌리고
길 가는 사람마다
정 깊은 눈으로 바라보더라.

—용서받지 못한 채
이렇게 숨어 사는 것을 슬퍼할 것은 없다.
우리를 기다리고 있는
사조반四組半의 조그만 다다미방은
셋방이나마 너와 나의 따뜻한 가정이 아니겠니,
순아?

## 밤의 서정抒情

I

바람이 풍기는 후끈한 꽃 내음
후끈한 꽃 내음에 눈을 떠보니
언덕 위에 큼직한 달이 떠 있어라.

밤 언덕 기어 올라 달그림자 아래 서면
거기 밤새는 옛정을 못 잊어
그칠 줄 모르는 사랑만 속삭이고……

II

멀리 어둠 속으로 들려 오는 것,
날 부르는 소리.
그것은 바위 틈으로 흐르는 옹달샘.

우거진 풀넝쿨 헤치며 헤치며
맑은 샘 가에 내려 서면
밤새는 또 나의 귀에 흐느껴 울어라, 달이 지도록…….

## 별의 전설傳說

폭풍이 우주를 휩쓸고
눈보라가 온 하늘을 덮던 무서운 밤에도
한사코 그 넋을 지키려는 별들이
캄캄한 어둠 속에 숨어 숨쉬고 있는 것을 아니?

그리하여 폭풍이 지나가고
눈보라마저 그친 조용한 밤이 오자
다시 그 별들이 웃음지며
반짝이기 시작한 것을 아니?

그 때
사람들 놀란 눈을 하고
푸른 밤하늘을 쳐다보며
가 버린 그 밤의 기억을 전설과 같이
전설과 같이 이야기하였느니라,
별의 찬란한 빛에 온 몸을 적시며…….

## 글자의 행렬行列

유달리 동글기만 한 글자들
이 글자들이 줄을 이어 걸어 가고 있다,
눈 덮인 광야 같은 종잇장 위로…….

가슴 속에 새빨간 장미와
학 같은 슬픔을 지니고
글자들은 그 무엇을 찾아 고행한다.

태양太陽마저 구름에 가리어 어두운
눈보라 치듯 조소만이 휘몰아쳐 오는 속을
그래도 간다고, 가야 한다고
고달피 걸어 가고 있는
글자의 행렬이여!
순례자들이여!

너희들 호롱불 하나
어엿한 깃발 하나 없이
어디로, 그리고
언제까지 이렇게 가야 하느냐.

## 등하저음燈下低吟

등燈불 아래 펼쳐놓은 책장冊張 위에
한 마리의 작은 벌레를 본다,
무슨 바쁜 일이라도 있는 듯
연신 몸을 꿈틀거리며 가는…….

'대체 저 것은 누굴 찾아 가는 것일까?'
'저 것이 가는 곳은 어디일까?'

나는 생각한다, 두 폐이지 밖에 아니 되는 이 책장冊張이
얼마나 저 미물微物에게 넓은 사막砂漠일까 하고.

밤이 지새도록 가도 끝은 없으리라.
푸른 산山 푸른 들 하나 보이지 않으리라.

절름발이처럼 절름거리며 가는 벌레를 보며
남몰래 서글픔을 씹는 밤이 나에게 있다.

## 정 야靜夜

이슬에 젖어
이슬 내린 풀잎을 밟고 가노라면
우거진 수풀 속에
무슨 슬픈 이야기라도 있을 듯한 조그만 집이 한 채.

등불 켜지 않아 캄캄한 속에
달빛에 부서지는 파도처럼
유리창만이 번쩍거리는 저 낡은 집엔
어느 외로운 이가
세상을 버리고, 세상한테 잊히어
홀로 살고 있는 것일까.

나는 울타리 가에 숨어 뜰안을 들여다 본다.
달빛 속에 꽃향기가 그윽히 풍긴다.
꽃향기 속에 여인女人인 양 싶은 이의 한숨 소리가 들린다.

—그것은 바람도 없이
꽃잎만이 낙엽처럼 우수수 지던 날 밤이었다.

## 네모진 창窓가에 앉아

네모진 창가에 앉아
낙하의 포옴을 갖추는 먼 인왕산 마루턱 햇덩이를 바라보며
나는 몽마르트르의 일몰을, 반 · 고흐를 생각한다.

황량한 들판으로 달려가
피스톨 한 손에 쥐고
서른 여덟 서러운 생애에
그가 종지부를 찍던 것도 이런 석양이었으리라.

헤이그에서 런던으로, 런던에서 파리로
숲에서 숲으로, 늪에서 늪으로
지쳐 자빠지도록 오직
빛과 태양을 찾아 헤매 다니던
나는 그의 우수와 비애와 분노를 내 것처럼 느낀다.

생트 마리 해안으로, 해안의 초가로
참나무 서 있는 고원 지대로
창포 핀 알르 풍경 속으로
르느 강변으로

불쌍한 매음녀 진네 집으로 돌아다니며
아아 눈을, 뇌를 질질 태우던,
태우며 해바라기를 그리던
나는 미치광이 화가 반 · 고흐를 생각한다,
네모진 창가에 앉아.

그는 처세할 줄 모르는 위인이었다. 타협할 줄 모르는 벽창호였다.
남을 속일 줄 모르는 선인이었다.

그가 쓰러지던 날, 그의 두해에서는 새빨간 선지피가 콸콸 용솟음쳐 흘러 나오고 그 핏줄기 속으로부터는 한 마리의 시꺼먼 까마귀가 뛰어 나와 아득한 하늘로 겨 올라갔다, 처량한 울음을 보리밭 고랑에 뿌리며.
어느덧 허허벌판에 어둠이 깃들기 시작하고 바람마저 일었다. 영혼 없는 그의 시체 둘레에는 때 아닌 해바라기가…… 그가 사랑하던 해바라기가 억없이 피어났었다.

네모진 창가에 앉아
노을 빗긴 서쪽 하늘을 바라보며
나는 몽마르트르의 일몰을,
반 · 고흐를, 그의 조국 네덜란드를 생각한다.

# 길

<유 년幼年>

호무우라도 꺽적거리며 걸어가고 싶은
길 저쪽으로
파아란 하늘이 비잉빙 돌고
소달구지 하나 지나가지 않는
쓸쓸한 풍경 속엔
하이얀 갈꽃
산들바람에 파르르 떨고 있었다.

<소 년少年>

바닷속 진주로만 보이는
도글도글 예쁘다란 조약돌이
흐르는 냇물 밑바닥에 그득 깔려 있었다.

고의를 정강이까지 걷어 올린 채
중머리 땅에 떨어뜨리고
소년은 잠시 난처한 표정을 짓는다.
철떡철떡 끌고 온 짚신짝 처리 때문에.

<청 년青年>

뒤돌아보면 강만큼이나 크고 넓었다.
이끌어 주는 이 없는대로
철벅철벅 철벅거리며
그러나 용하게 건넜다.

그것은 덥지도 춥지도 않은
산비둘기 소리 산에 한가로운 날이었다.

## 게蟹

— 나의 초상肖像 —

I

이놈은 몸집이 커 둥글박거리기만 하오.
이놈은 모로 기면서 바로 걷는다고 생각하오.

II

이놈은 배고동 소리만 들어도 몸을 오므라뜨리오.
이놈은 조금만 분해도 입으로 거품을 내뿜으오.

III

이놈은 구멍 속에 틀어박혀 나오길 싫어하오.
이놈은 달을 좋아하면서 실은 무서워하오.

IV

이놈은 가끔 외롭다고 집게질을 하오.
이놈은 곧잘 바보처럼 우오.

## 출 발出發

빼꾹새 우는 산을 가리키며 소년은 산 너머 저쪽 먼 나라에 가보고 싶다고 몇 번이고 말했습니다. 그럴 때마다 어머니는 그의 머리를 쓰다듬어 주며 네가 어서 낫기만 하면…… 네가 어서 크기만 하면 가 보자고 가슴을 졸이며 어르는 것이었습니다.

하늘이 넓고 푸른 어느 날 소년은 아주 길을 떠나가 버리고 말았습니다. 그렇게 가고 싶어 하던 산 너머 저쪽 먼 나라로 소년은 갔을까요? 어머니가 넋 잃고 바라보는 산에서는 날마다 날마다 새갓 베는 나무꾼의 노랫가락만이 들리어 왔습니다.

*

—반 가返歌

산을 넘어가 볼까나,
산 너머 저쪽
조그만 마을 있어
가 버린 소년
오늘도 피리 불며
그 마을 살리.

## 소년 소묘素描

소년은 그가 엄마보다 먼저 죽었으면 하였다. 그러면 그의 죽음을 슬퍼할 한 사람의 여인이 있겠기에—. 하건만 그의 엄마는 그를 남겨 놓고 훌쩍 저 세상으로 떠나가고 말았다.

소년의 마음에 큼직한 구멍이 뚫린 것은 바로 이 때이다. 지금도 이 구멍으로 바람처럼 그의 엄마가 드나다니고 있다. 쿨룩쿨룩 기침을 하며…… 생시와 똑같이.

## 포플러나무

하늘 끝까지 닿은 듯 우뚝 솟은 우물가 포플러나무를 부둥켜 안고 소년은 애걸복걸하였다, 한 번만이라도 좋으니 안아 올려 달라고. 하건만 포플러나무는 소년의 소원은 들은 체 만 체 저 혼자 웃음짓고 있었다.

## 기 도祈禱

노을이 박달나무 수풀을 물들여 놓자
검은 밤은 산을 넘어
이윽고 산장을 찾아 온다.

소녀는 램프등에 불을 켠다.
등불 밑에서 소녀가 읽는 책은
R. M. 릴케의 기도서.
그는 문득 기도가 드리고 싶어진다.

아베 마리아
모란이 뚝뚝 떨어져 쌓이듯이
내 마음에 아름다운 이야기가
쌓이게 해 주소서.

아—멘.

## 본 · 스트리트Bond Street

본 · 스트리트는 바닷가 조그만 고장.
낯선 이방인들이 가끔 드나다니는 거리.

상점 유리창이며 간판들이
온통 바닷빛인데
여기 Bond Street를 파는 담뱃가게에서
나는 바닷빛 눈의 한 소녀를 만났다.

바닷빛 눈의 소녀는
바다 빛깔의 표지를 씌운
시집을 들고 있었다.

그것은 발레리의
『바닷가 무덤』이었다.

저녁 바람은 바닷소리 속에서
마지막 나의 여행을 재촉하는데
등에 놀이 지고
돌아 나오는 내 가슴 속엔
바닷빛보다 짙푸른

노스탤지어가 서리었다,
꽃도 낙화지는 본 · 스트리트의
하늘 아래서.

『장만영 전집』 간행위원회



# 장만영 전집 1권 시편 1

초판 1쇄 인쇄일 | 2014년 12월 23일
초판 1쇄 발행일 | 2014년 12월 24일

엮은이 | 장만영 전집 간행위원회 편
펴낸이 | 정구형
편집장 | 김효은
편집/디자인 | 박재원 우정민 김진솔 윤혜영
마케팅 | 정찬용 정진이
영업관리 | 한선희 이선건 허준영 홍지은
책임편집 | 김진솔
표지디자인 | 박재원
인쇄처 | 월드문화사
펴낸곳 | **국학자료원**
등록일 2006 11 02 제2007-12호
서울시 강동구 성내동 447-11 현영빌딩 2층
Tel 442-4623 Fax 442-4625
www.kookhak.co.kr
kookhak2001@hanmail.net

ISBN | 978-89-279-0868-5 *04800
978-89-279-0865-4 *04800(set)
가격 | 280,000원(전 4권)